La tentation d'Angélique

I

Éditions J'ai Lu

ANNE ET SERGE GOLON

La tentation
d'Angélique

I

LE POSTE DU HOLLANDAIS

1

Le bruit du tambour indien s'éleva de la forêt.
Il roula, ouaté, rythmé à travers l'épaisse chaleur qui s'appesantissait sur les arbres et le
fleuve.

Sur la rive, Joffrey de Peyrac et Angélique s'immobilisèrent. Ils écoutèrent un instant. C'était
un battement sourd mais discret. Il s'échappait
des ramures en notes pleines et douces, bien
frappées comme les battements d'un cœur vigoureux. Et c'est ainsi que la nature immobile,
stagnante sous la buée d'un jour torride, rappelait la présence des hommes qu'elle portait en
son sein.

Instinctivement, Angélique saisit les mains de
son mari, à ses côtés.

— Le tambour, dit-elle, qu'annonce-t-il?

— Je ne sais. Attendons.

Ce n'était pas encore le soir. Seulement la fin du
jour. Le fleuve était une immense plaque d'argent
terni. Angélique et son mari le comte de Peyrac

se tenaient debout sous la retombée des aulnes, au bord de l'eau.

Un peu plus loin vers la gauche, tirés sur le sable d'une crique, des canots d'écorce de bouleau colmatée de résine séchaient.

La crique s'arrondissait, à demi cernée par un promontoire effilé, tandis qu'au fond de l'anse les falaises, hautes et noires, couronnées d'ormes et de chênes, avaient conservé une fraîcheur bienfaisante.

Là, le campement s'était installé. On entendait des craquements de branches brisées pour l'édification des cabanes ou l'aménagement des feux, et déjà une nappe bleue de fumée s'élevait et s'étirait nonchalamment au-dessus de l'eau calme.

Angélique secoua la tête d'un mouvement vif et léger pour chasser un nuage de maringouins qui soudain s'affairaient en bourdonnant autour d'elle. Elle cherchait aussi à dissiper une vague appréhension qui venait de surgir en entendant bourdonner le tambour de la forêt.

— C'est étrange, fit-elle presque sans réfléchir. Il y avait peu d'hommes dans les quelques villages abénakis que nous avons rencontrés en descendant le Kennebec. Seulement des femmes, des enfants, des vieillards.

— En effet, tous les sauvages sont partis vers le sud pour la traite des fourrures.

— Ce n'est pas seulement pour cela. Dans les caravanes et les canots que nous croisons, descendant comme nous vers le sud, il y a surtout des femmes. Ce sont elles apparemment qui vont pour la traite. Mais où sont les hommes?...

Peyrac lui jeta un regard énigmatique. La question, il se l'était posée aussi, et la réponse, il la soupçonnait comme elle. Les hommes des tribus indiennes n'étaient-ils pas partis se réunir en un endroit secret pour comploter la guerre?... Mais quelle guerre? et contre qui?

Il hésita à proférer ce soupçon à voix haute et préféra se taire.

L'heure était calme, dénuée d'inquiétude. Le voyage se poursuivait depuis plusieurs jours sans encombre. Tous éprouvaient à revenir vers les rivages de l'Océan et les régions plus habitées une délectation et une impatience juvéniles.

— Tenez! dit Peyrac avec un mouvement subit, voici ce qui a sans doute provoqué l'appel des tambours. Une visite!

Trois canots doublaient le promontoire en face d'eux, s'avançaient et entraient dans la crique.

On devinait, à la façon dont ils avaient surgi, qu'ils venaient de remonter le cours de Kennebec plutôt que de se laisser glisser vers l'aval comme la plupart des embarcations à cette époque de l'année.

Peyrac, suivi d'Angélique, fit quelques pas pour s'avancer tout au bord de la grève, là où les vaguelettes salies d'écume laissaient une trace brunâtre sur un fin gravier. Il plissa un peu les yeux et observa les nouveaux venus.

Les Indiens qui montaient ces trois canots manifestaient l'intention de s'arrêter. Ils relevaient leurs pagaies ruisselantes, puis se glissaient dans l'eau afin de pousser leurs esquifs vers la rive.

— En tout cas, il y a là des hommes et non des femmes, remarqua Peyrac.

Puis, s'interrompant brusquement, il serra le bras d'Angélique.

D'un des canots, une sombre silhouette vêtue d'une soutane noire venait de se déployer, descendant à son tour dans l'eau afin de gagner la plage sous les saules.

— Le jésuite, dit Angélique à mi-voix.

Et elle fut saisie d'une telle panique qu'elle faillit s'enfuir pour se cacher au plus profond de la forêt.

De ses doigts posés sur son poignet, le comte arrêta ce mouvement impulsif.

— Que craignez-vous donc d'un jésuite, mon amour?

— Vous n'ignorez pas l'opinion que le père d'Orgeval a de nous. Il nous prend pour de dangereux usurpateurs, si ce n'est pour des suppôts du Diable.

— Tant qu'il ne se présente qu'en visiteur, nous devons rester calmes.

Cependant, de l'autre côté de l'eau, la Robe Noire s'était mise à suivre la rive d'un pas rapide. Parmi les moirures d'émeraude des arbres reflétés son ombre longue et mince se mouvait avec une promptitude qui avait quelque chose d'inusité dans ce pays accablé et comme déjà sombrant dans les brumes d'un soir plein de langueur. La silhouette était celle d'un homme jeune et plein de vitalité allant droit au but, sans prendre garde aux obstacles, refusant même de les voir.

Il disparut un instant, abordant le campement, et il y eut comme un silence lourd qui s'établit autour des feux; puis l'on entendit s'approcher les pas bottés du soldat espagnol et, juste derrière lui, la haute forme noire reparut, proche, entre les feuillages drapés des saules.

— Ce n'est pas lui, fit Peyrac entre les dents. Ce n'est pas le père d'Orgeval.

Il se sentait presque déçu.

L'arrivant était grand et mince, et paraissait très jeune. Du fait de son ordre qui nécessite un noviciat fort long, il ne pouvait certainement avoir moins de trente ans. Pourtant, il y avait en lui comme la grâce inconsciente de la vingtième année. Ses cheveux et sa barbe étaient blonds et ses yeux d'un bleu presque incolore. Son visage aurait été pâle sans les plaques rouges qu'un soleil, cruel aux gens de sa complexion, lui avait infligées sur le front, les joues et le nez.

Il s'immobilisa en apercevant le comte et sa femme, et à quelques pas d'eux il les fixa un court instant, l'une de ses mains maigres et fines posée sur sa poitrine sur le crucifix pendu à son cou par un ruban violet, l'autre tenant son bâton de marche que surmontait une croix d'argent.

Angélique le jugea d'une surprenante distinction, semblable à ces chevaliers ou ces archanges guerriers que l'on voit en France aux vitraux des églises.

— Je suis le père Philippe de Guérande, déclara-t-il d'une voix courtoise. Coadjuteur du père Sébastien d'Orgeval. Apprenant que vous descendiez le Kennebec, monsieur de Peyrac, mon supérieur m'a chargé de venir vous présenter ses civilités.

— Qu'il soit remercié de ses bonnes intentions, répondit Peyrac.

Il éloigna d'un geste l'Espagnol qui se tenait

presque au garde-à-vous, subjugué devant le père jésuite.

— Je regrette de n'avoir que l'hospitalité rustique d'un campement à vous offrir, mon père. Mais vous êtes habitué, je pense, à ce genre d'inconfort. Voulez-vous que nous nous rapprochions des feux? La fumée nous protégera un peu des moustiques. C'est l'un des vôtres, je crois, qui disait qu'aux Amériques il n'est point besoin de porter cilice car les moustiques et les maringouins se chargent abondamment d'en remplir l'office.

L'autre daigna sourire.

— Le saint père Brébœuf a eu en effet cette boutade, reconnut-il.

Ils s'assirent non loin des groupes qui s'affairaient aux préparations du repas et du couchage.

A l'écart cependant.

Joffrey retint d'une pression imperceptible Angélique qui voulait s'éloigner. Il souhaitait qu'elle assistât à l'entretien. Elle prit place à son tour près de lui, sur un gros rocher moussu. Déjà, avec l'intuition immédiate des femmes, elle constatait que le père de Guérande affectait de ne pas la remarquer.

— Je vous présente mon épouse, la comtesse de Peyrac de Morens d'Irristru, dit Joffrey avec toujours la même urbanité sereine.

Le jeune jésuite inclina la tête dans la direction d'Angélique d'un geste raide presque mécanique, puis se détourna, et son regard erra sur la surface polie de l'eau qui s'assombrissait peu à peu tandis que s'allumaient dans ses profondeurs les reflets pourpres des nombreux foyers brasillant sur la rive.

En face, les Indiens qui avaient amené le père s'installaient pour cabaner.

Peyrac proposa de les convier et de partager avec eux le chevreuil et les dindes qui déjà rôtissaient sur les broches, ainsi que les saumons pêchés l'heure précédente qui cuisaient à l'étouffée, entourés de feuilles, sous les cendres.

Le père de Guérande secoua la tête négativement et dit que c'étaient des Kennébas, indigènes fort farouches et qui n'aimaient pas se mêler aux étrangers.

Angélique pensa subitement à la petite Anglaise Rose-Ann qu'ils ramenaient avec eux. Elle la chercha des yeux et ne la vit pas. Elle apprit plus tard que Cantor, dès l'arrivée du jésuite, l'avait rapidement soustraite à sa vue. Il attendait patiemment dans quelque fourré, en grattant de la guitare pour distraire l'enfant, que les conversations fussent terminées.

— Ainsi, fit le père de Guérande, vous avez passé l'hiver au cœur des Appalaches, monsieur? Avez-vous eu à souffrir du scorbut? De la famine? Avez-vous perdu des membres de votre colonie?...

— Non, pas un seul, Dieu soit loué!

Le religieux tiqua, et il eut un petit sourire étonné.

— Nous sommes heureux de vous entendre louer Dieu, monsieur de Peyrac. Le bruit courait que vous et votre troupe vous n'étiez guère portés à la piété. Que vous recrutiez vos gens indistinctement parmi des hérétiques, des indifférents, des

11

libertins, et même qu'il y avait parmi eux de ces fortes têtes égarées par l'orgueil, qui ne se privent pas à tout propos de blasphémer et de maudire Dieu — béni soit son Saint Nom!...

D'une main, il refusait le gobelet d'eau fraîche et l'écuelle de rôti que Yann Le Couennec, le jeune Breton qui servait d'écuyer au comte de Peyrac, lui présentait. « C'est dommage, pensa Angélique irrévérencieusement, ces jésuites, on ne pourra pas les « avoir par la gueule »... Jadis, le père Masserat s'était montré plus sybarite. »

— Restaurez-vous, mon père, insistait Peyrac.

Le jésuite secoua la tête.

— Nous avons fait collation à l'heure méridienne. Cela suffit pour une journée. Je mange peu. Comme les Indiens... Mais vous n'avez pas répondu à ma question, monsieur... Est-ce volontairement que vous recrutez vos hommes parmi des esprits rebelles aux disciplines de l'Eglise?

— A vrai dire, mon père, ce que je demande avant tout à ceux que j'engage, c'est de bien savoir manier les armes, la hache et le marteau, d'être capables de supporter le froid, la faim, la fatigue, les combats, en bref, l'adversité, sans un murmure, de m'être fidèles et soumis le temps de leur contrat et d'exécuter au mieux les travaux que je leur impose. Mais qu'ils soient pieux et dévots en sus ne me disconvient pas expressément.

— Pourtant, vous n'avez planté la Croix dans aucun des établissements que vous avez fondés.

Peyrac ne répondit point.

Le reflet de l'eau miroitante, qu'incendiait subitement le soleil couchant, paraissait allumer dans ses yeux une petite lueur moqueuse qu'Angélique connaissait bien, mais il restait patient et comme particulièrement amical.

Le père insista.

— Voulez-vous dire qu'il y a parmi les vôtres des individus que ce signe, ce Signe admirable d'amour, de sacrifice — qu'il soit béni — que ce Signe, dis-je, risquerait de choquer et même d'irriter?

— Peut-être.

— Et s'il y avait parmi vos gens des êtres — comme ce jeune homme il me semble, au visage ouvert et franc, qui est venu me présenter ce tantôt de la nourriture — qui auraient gardé, par le souvenir d'une enfance pieuse, de l'affection pour le signe de la Rédemption, ainsi vous les priveriez délibérément du secours de leur Sainte Religion?...

— On est toujours plus ou moins contraint de se priver de quelque chose lorsqu'on accepte de vivre en diverse compagnie, dans des conditions difficiles et parfois dans un espace fort restreint. Ce n'est pas à moi, mon père, de vous faire remarquer combien la nature humaine est imparfaite, et qu'il est nécessaire de se faire des concessions pour vivre en bonne intelligence.

— Celle de renoncer à rendre hommage à Dieu et d'implorer sa miséricorde me semble la dernière des concessions à faire et pour tout dire une concession coupable. Ne dévoilerait-elle pas le peu d'importance que vous accordez, monsieur de Peyrac, aux secours spirituels?... Le travail, sans le courant divin qui le vivifie, ne compte pas.

L'œuvre, sans la Grâce sanctifiante, n'est rien. C'est une enveloppe vide, du vent, du néant. Et cette grâce ne peut être accordée qu'à ceux qui reconnaissent Dieu comme Maître de toutes leurs actions, qui obéissent à ses lois et qui lui offrent, par la prière et chaque jour de leur vie, les fruits de leurs travaux.

— Pourtant l'Apôtre Jacques a écrit : « Seuls les ouvrages comptent... »

Peyrac redressa un peu ses épaules qui s'étaient voûtées comme sous le poids de la réflexion. Il prit dans une fente de son gilet de cuir un cigare de feuilles roulées de tabac et l'alluma au tison que lui présentait presque aussitôt le jeune Breton. Puis celui-ci s'éloigna discrètement.

A la citation du comte, Philippe de Guérande avait eu le sourire froid et subtil de l'adversaire qui rend hommage au coup bien porté. Mais il ne révélait pas pour autant son adhésion.

Angélique, silencieuse, mordillait nerveusement l'ongle de son petit doigt. Pour qui se prenait-il, ce jésuite? Oser parler sur ce ton à Joffrey de Peyrac? Mais en même temps il lui revenait comme une bouffée de son enfance conventuelle, le sentiment de pénible dépendance que toute personne laïque éprouvait vis-à-vis des membres du clergé, et c'était une chose admise et évidente que les jésuites étaient d'une race qui ne craignait rien, ni roi ni pape. Ils avaient été fondés pour enseigner et fustiger les grands de ce monde. Pensive, elle contemplait de ses larges yeux le visage émacié, retrouvait par cette présence insolite, près d'eux, au sein de la forêt américaine, de très anciennes anxiétés, familières au Vieux Monde : la crainte du prêtre, porteur de mystiques pouvoirs. Puis son regard revenait vers le visage de son mari et elle respirait, soulagée. Car lui échappait — échapperait toujours — à ces sortes d'influences. Il était fils de l'Aquitaine et héritier d'on ne sait quelle libérale conception de l'existence, venue de temps très anciens et de civilisations païennes. Il n'était pas de la même essence qu'elle-même ou que ce jésuite, tous deux entraînés dans d'incorruptibles croyances. Il échappait à l'attraction. Et à cause de cela elle l'aimait intensément. Elle l'entendit répondre d'un ton égal :

— Mon père, chez moi, prie qui veut. Et pour les autres, ne croyez-vous pas que le travail bien fait sanctifie?

Le jésuite parut réfléchir quelques secondes puis secoua la tête avec lenteur.

— Non, monsieur, non. Et nous reconnaissons bien là les déviations stupides et dangereuses de ces philosophies qui se veulent indépendantes de l'Eglise.

» Vous êtes d'Aquitaine, fit-il sur un autre ton. Les gens de votre province se montrent fort nombreux et diligents en Canada ou Acadie. A Pentagoët, le baron de Saint-Castine a nettoyé d'Anglais toute la rivière Pénobscot. Il a fait baptiser le chef des Etchevinins. Les Indiens de la région le considèrent comme l'un des leurs.

— Castine est en effet mon voisin à Gouldsboro. Je le connais et l'apprécie, dit Peyrac.

— Qui avons-nous encore comme Gascons dans notre colonie? reprit le père de Guérande avec une bonhomie voulue. Eh bien, il y a Vauvenart sur la rivière Saint-Jean...

— Un pirate de mon cru!

— Si l'on veut! Il est très dévoué à la cause française et le meilleur ami de M. de Villedavray, le gouverneur de l'Acadie. Dans le Nord, nous avons M. de Morsac, à Cataracoui. Et je n'oublierai pas de nommer notre bien-aimé gouverneur M. de Frontenac.

Peyrac fumait doucement, paraissant approuver de quelques signes de tête. Angélique elle-même ne pouvait rien lire sur sa physionomie. Entre les feuilles vernissées des énormes chênes qui les surplombaient, la lumière du soir passait, filtrée par les masses de verdure opulente et la clarté en gagnait un reflet vert qui pâlissait les visages, accusait les ombres. L'or maintenant était du côté du fleuve, la crique devenait couleur d'étain. Par un jeu de miroirs des eaux et du ciel, il faisait plus clair que tout à l'heure. Les soirs de juin étaient proches qui s'avancent sur la nuit et partagent avec elle son royaume. En ces temps-là, les humains et les bêtes consacraient peu d'heures au sommeil.

Dans les feux, on avait jeté de gros champignons noirs desséchés et ronds comme des balles. En brûlant, ils répandaient une odeur âcre et forestière qui avait la propriété bienfaisante d'éloigner les moustiques. La senteur des tabacs de traite s'échappant de toutes les pipes s'y mêlait. La crique était brumeuse et odorante. Un refuge caché au bord du Kennebec.

Angélique passait la main sur son front et par instants ses doigts plongeaient dans sa chevelure opulente, dorée, dégageant ses tempes moites, cherchant à goûter un peu de fraîcheur, et aussi, inconsciemment, à s'alléger d'un souci. Ses prunelles allaient de l'un à l'autre des deux hommes avec un intérêt passionné. Ses lèvres étaient un peu entrouvertes dans l'attention qu'elle portait à la conversation. Mais ce qu'elle surprenait, c'était tout ce qui se cachait derrière les propos échangés. Et soudain le père de Guérande attaqua :

— Pourriez-vous m'expliquer, monsieur de Peyrac, par quel hasard, si vous n'êtes pas hostile à l'Eglise, tous les membres de votre recrue de Gouldsboro sont des Huguenots?

— Très volontiers, mon père. Le hasard auquel vous faites allusion fut celui qui m'amena un jour à mouiller l'ancre aux abords de La Rochelle, alors que cette poignée de Huguenots, promis aux prisons du roi, s'enfuyaient devant les dragons chargés de les appréhender. Je les embarquais pour les soustraire à un sort qui m'apparut funeste lorsque je vis ces mêmes mousquetaires mettre sabre au clair. Et ne sachant qu'en faire, après les avoir embarqués, je les amenais à Gouldsboro, afin qu'ils cultivassent mes terres pour payer leur passage.

— Pourquoi les avoir soustraits à la justice du roi de France?

— Le sais-je? dit Peyrac avec un geste désinvolte et son habituel sourire caustique. Peut-être parce qu'il est écrit dans la Bible : Celui qu'on a condamné, celui qu'on mène à la mort, sauve-le!

— Vous citez la Bible?

— Elle fait partie des Ecritures Saintes.

— Dangereusement entachée de judaïsme, il me semble.

— C'est très évident, en effet, que la Bible est entachée de judaïsme, dit Peyrac qui éclata de rire.

A la surprise d'Angélique, le père de Guérande se mit à rire aussi, et cette fois il paraissait détendu.

— Oui, évidemment, répéta-t-il, constatant volontiers la sottise de l'aphorisme qu'il avait énoncé, mais voyez-vous, monsieur, de nos jours ce Livre Saint est mêlé à tant d'inquiétantes erreurs qu'il est de notre devoir de considérer avec suspicion tous ceux qui, imprudemment, s'y réfèrent.

» Monsieur de Peyrac, d'où tenez-vous la charte qui vous a donné des droits sur la terre de Gouldsboro? Est-ce du roi de France?

— Non, mon père.

— De qui donc alors? Des Anglais de la baie du Massachusetts qui se prétendent indûment propriétaires de ces côtes?

Peyrac esquiva habilement le piège.

— J'ai fait alliance avec les Abénakis et les Mohicans.

— Tous ces Indiens sont sujets du roi de France, la plupart baptisés, et ils n'auraient dû, en aucun cas, prendre de tels engagements sans en référer à M. de Frontenac.

— Allez alors le leur dire...

L'ironie commençait à poindre. Le comte avait une certaine façon de s'envelopper de la fumée de son cigare qui trahissait son impatience.

— Quant à mes gens de Gouldsboro, ce ne sont pas les premiers Huguenots qui prennent pied sur ces rivages. M. de Monts y fut envoyé jadis par le roi Henri IV...

— Laissons le passé. Dans le présent, vous voici sans charte, sans aumôniers, sans doctrine, sans nation pour vous justifier, jetant votre dévolu sur ces contrées, et vous y possédez déjà à vous seul plus de postes, de comptoirs et de populations que la France entière, qui en est possédante depuis fort longtemps. A vous seul, et les tenant de vous seul. Est-ce bien cela?

Peyrac eut un geste qui pouvait passer pour un acquiescement.

— De vous seul, répéta le jésuite dont les yeux d'agate brillèrent subitement. Orgueil! Orgueil! C'est là, la faute inexpiable de Lucifer. Car ce n'est pas vrai qu'il voulait être semblable à Dieu. Mais il ne voulait tenir sa grandeur que de lui-même et de sa propre intelligence. Est-ce là votre doctrine?

— Je tremblerais de vouloir associer ma propre doctrine à un aussi redoutable exemple.

— Vous vous dérobez, monsieur. Pourtant, celui qui a voulu atteindre à la Connaissance seul et pour sa seule gloire, quel n'a pas été son sort? Comme l'apprenti sorcier, il perdit le contrôle de sa science et ce fut la destruction des Mondes.

— Et Lucifer et ses mauvais Anges churent dans une pluie d'étoiles, murmura Peyrac. Et maintenant ils sont mêlés à la terre avec leurs secrets. Petits génies grimaçants que l'on trouve au fond des mines, gardiens de l'or et des métaux précieux.

» Vous n'ignorez pas, mon père, vous qui avez sans nul doute étudié les secrets de la Kabbale, comment se nommaient dans le langage hermétique les légions des démons que forment ces petits gnomes, génies de la terre?

L'ecclésiastique se redressa et le fixa d'un regard étincelant où entrait du défi, mais aussi une sorte de reconnaissance d'initié.

— Je vous suis bien, fit-il d'un ton lent et songeur. On oublie trop que certains qualificatifs, désormais assimilés dans le langage commun, désignaient jadis quelques-uns des bataillons de l'armée infernale. Ainsi donc, les génies de l'Eau, les ondins, formaient la légion des Voluptueux. Ceux de l'Air, les sylphes, et les follets celle des Lâches. Les esprits du feu, symbolisés par la salamandre, la cohorte des Violents. Et ceux de la Terre, les gnomes, avaient pour nom...

— Les Révoltés, dit Peyrac avec un sourire.

— Les vrais fils du Maudit, murmura le jésuite.

Les yeux d'Angélique, avec effroi, allaient de l'un à l'autre des interlocuteurs de cet étrange dialogue.

Impulsive, elle posa sa main sur celle de son mari pour l'avertir de se montrer prudent.

L'avertir! Le protéger! Le retenir... Au fond de la forêt d'Amérique rôdaient soudain les mêmes menaces que jadis dans le palais de l'Inquisition! Et Joffrey de Peyrac souriait du même sourire sardonique que soulignaient les cicatrices de son visage blessé.

Le regard du jésuite effleura la jeune femme. Dirait-il le lendemain, revenu au fond de sa mission indienne : « Oui, je les ai vus! Ils sont bien tels qu'on nous les a annoncés. Lui, esprit dangereux, subtil; elle, belle et charnelle comme Eve, avec des gestes d'une liberté étrange et inégalable... »

Dirait-il : « Oui, je les ai vus debout sur la rive, reflétés par les eaux du bleu Kennebec, debout parmi les arbres, lui, noir, dur et sardonique, elle, éclatante, tous deux appuyés l'un à l'autre, l'homme et la femme liés par un pacte... Oh! de quel pacte peut-il s'agir? dirait-il en frémissant au père d'Orgeval... »

Et de nouveau la fièvre des marais, qui si souvent saisissait le missionnaire, le ferait trembler misérablement... « Oui, je les ai vus, et je suis resté longtemps près d'eux, et j'ai rempli la mission dont vous m'aviez chargé de sonder le cœur de cet homme... Mais maintenant je suis brisé. »

— C'est l'or que vous êtes venu chercher ici? fit le jésuite d'une voix contenue. Et vous l'avez trouvé!... Vous êtes venu pour soumettre toutes ces régions pures et primitives à l'idolâtrie de l'or...

— On ne m'avait pas encore traité d'idolâtre! dit Peyrac, et il eut un éclat de rire allègre. Mon père, oubliez-vous qu'il y a cent cinquante années le moine Tritheim enseignait à Prague que l'or représentait l'âme du premier homme?...

— Mais il définit aussi que l'or contenait en substance le vice, le Mal, répliqua avec vivacité le jésuite.

— Pourtant, la richesse donne la puissance et peut servir au Bien. Votre ordre l'a compris dès

21

les premiers temps de sa fondation, il me semble, car c'est l'ordre le plus riche au monde.

Comme il l'avait fait à plusieurs reprises, le père de Guérande changea de sujet :

— Si vous êtes français, pourquoi n'êtes-vous pas ennemi des Anglais et des Iroquois qui veulent la perte de la Nouvelle-France? interrogea-t-il.

— Les querelles qui vous opposent sont d'origine déjà ancienne et prendre parti me semblerait trop ardu pour que je m'y résigne. J'essaierai cependant de vivre en bonne intelligence avec chacun, et qui sait peut-être y imposerai-je la paix...

— Vous pouvez nous faire beaucoup de mal, dit le jeune jésuite d'une voix tendue où Angélique sentit vibrer une véritable angoisse. Oh! pourquoi, s'écria-t-il, pourquoi n'avez-vous pas planté la Croix?

— C'est un signe de contradiction.

— L'or a été le promoteur de bien des crimes.

— La Croix aussi, dit Peyrac en le regardant fixement.

Le religieux se dressa tout droit. Il était si pâle que les brûlures de soleil qui le marquaient parurent saigner comme des plaies dans son visage de craie.

A son cou maigre, qui se redressait hors du rabat blanc, unique ornement de la sombre robe noire, une veine battait violemment.

— J'ai enfin entendu votre profession de foi, monsieur, fit-il d'une voix sourde. C'est en vain que vous protesterez de vos intentions amicales à notre égard. Toutes les paroles qui sont tombées de votre bouche étaient entachées de ce détestable esprit de révolte qui caractérise les hérétiques que vous fréquentez : rejet des signes extérieurs de piété, scepticisme à l'égard des vérités révélées, indifférence au triomphe de la Vérité, et peu vous importe que le reflet exact du Verbe qui fut engendré soit effacé de ce monde avec l'Eglise catholique, que les ténèbres s'appesantissent sur les âmes!

Le comte se leva et posa la main sur l'épaule du jésuite. Son geste était plein d'indulgence et d'une sorte de compassion.

— Soit! dit-il. Maintenant, écoutez-moi, mon père, et veillez ensuite à répéter mes paroles exactes à celui qui vous a envoyé. Si vous êtes venu me demander d'être sans hostilité à votre égard, de vous aider en cas de famine et de pauvreté, je le ferai comme je l'ai déjà fait depuis que je me suis établi dans ces parages. Mais si vous êtes venu me demander de m'en aller d'ici avec mes Huguenots et mes pirates, je vous répondrai : *Non!* Et si vous êtes venu me demander de vous aider à massacrer les Anglais et à combattre les Iroquois par pur principe, sans provocation, je vous répondrai : *Non!* Je ne suis pas des vôtres, je ne suis à personne. Je n'ai pas de temps à perdre et je n'estime pas utile de transposer dans le Nouveau Monde les querelles mystiques de l'Ancien.

— C'est votre dernier mot?

Leurs regards s'affrontèrent.

— Ce ne sera sans doute pas le dernier, murmura Peyrac dans un sourire.

— Pour nous, si!

Le jésuite s'éloigna dans l'ombre des arbres.

— Est-ce une déclaration de guerre? demanda Angélique en levant les yeux vers son mari.

— Ça m'en a tout l'air.

Il souriait et posa sa main sur la chevelure d'Angélique, la caressant lentement.

— Mais nous n'en sommes encore qu'aux préliminaires. Une entrevue avec le père d'Orgeval s'impose encore et je la tenterai. Ensuite... Eh bien, chaque jour de gagné, c'est une victoire pour nous. Le *Gouldsboro* doit être revenu d'Europe, et de Nouvelle-Angleterre doivent arriver de petits navires côtiers bien armés, et encore d'autres mercenaires. S'il le faut, j'irai jusqu'à Québec avec ma flotte. Mais j'aborderai le prochain hiver dans la paix et dans la force, j'en fais serment. Après tout, si hostiles et opposés qu'ils me soient, ils ne sont que quatre jésuites pour un territoire plus vaste que les royaumes de France et d'Espagne réunis.

Angélique baissa la tête. Malgré l'optimisme et la logique rassurante des paroles du comte de Peyrac, il lui semblait que la partie allait se jouer en un lieu où chiffres, armes et hommes comptaient peu en rapport des forces mystérieuses et sans nom qu'ils affrontaient et, presque malgré eux, représentaient.

Et elle devinait qu'il le sentait comme elle.

— Oh! mon Dieu, pourquoi lui avez-vous dit toutes ces sottises? gémit Angélique.

— Quelles sottises, mon amour?...

— Ces allusions aux petits démons qu'on trouve dans les mines ou aux théories de je ne sais quel moine de Prague d'autrefois...

— J'essayais de lui parler son langage. C'est un cerveau supérieur, admirablement doué pour l'étude. Il doit être dix fois bachelier et docteur, bourré de toute la science théologique et occulte dont nos temps peuvent s'enorgueillir. Seigneur! Qu'est-il venu faire en Amérique?... Les sauvages auront raison de lui.

Peyrac, qui semblait secrètement joyeux et, en tout cas, nullement ému, leva les yeux vers la voûte enténébrée des feuillages. Un oiseau invisible s'y agitait. La nuit était là, bleu sombre et duvetée, transpercée par les feux des bivouacs. Une voix héla derrière les ramures, conviant la compagnie à venir se restaurer.

Puis, dans le silence revenu, l'oiseau hulula, si proche qu'Angélique tressaillit.

— Un hibou, dit Joffrey de Peyrac, l'oiseau des sorcières.

— Oh! mon chéri, je vous en prie, s'écria-t-elle, jetant ses bras autour de lui et cachant son visage dans son pourpoint de cuir, vous m'effrayez!...

Il rit un peu et caressa avec douceur et passion sa chevelure soyeuse. Il eût voulu parler, commenter les paroles qui avaient été échangées, définir le sens de la conversation qu'ils avaient eue avec le jésuite. Et soudain il se taisait, sachant qu'Angélique et lui-même avaient pressenti, deviné, compris les mêmes choses à chaque instant de ce dialogue. Ils savaient tous deux que cette visite ne représentait rien d'autre qu'une déclaration de guerre. Un moyen aussi, peut-être, de s'en procurer les prétextes.

Avec la science extraordinaire des membres de son ordre, ce jeune jésuite avait réussi à lui faire dire, à lui, Peyrac, beaucoup plus qu'il ne voulait. Il fallait leur rendre cette justice qu'ils savaient manier l'être humain. Ils possédaient aussi d'autres armes, d'une sorte particulière, dont le comte ne mésestimait pas entièrement la puissance.

Insensiblement, l'humeur légère de Joffrey de Peyrac s'assombrit et d'une façon assez inexplicable, c'était pour elle, Angélique, sa femme, surtout qu'il craignait.

Il la serra plus étroitement contre lui. Chaque jour, chaque soir, il éprouvait cette soif de la tenir contre lui, l'entourant de ses bras pour s'assurer qu'elle était bien là, et que rien ne pourrait l'atteindre dans ce refuge de ses bras.

Il aurait voulu parler, craignait qu'en parlant l'appréhension ne touchât son âme, préférait se taire.

Il dit seulement :

— La petite Honorine nous manque, n'est-ce pas?...

Elle acquiesça d'un mouvement de sa tête penchée, plus proche dans la tendresse que lui inspirait sa remarque. Un peu plus tard, elle demanda :

— Est-elle en sûreté à Wapassou?

— Oui, mon amour, elle est en sûreté, affirma-t-il.

2

Le père de Guérande cabana avec les Indiens et refusa de partager le repas des Blancs lorsqu'on lui fit porter l'invitation.

Il partit dès l'aube, sans prendre congé, ce qui, pour un homme de son éducation, était la forme souveraine du mépris.

Angélique fut la seule à l'apercevoir qui, de l'autre côté de l'eau, portait son paquetage sur la grève. Quelques Indiens, nonchalamment, tournaient autour des canots échoués. La brume matinale régnait jusqu'à hauteur des arbres, assez légère pour qu'on pût distinguer les silhouettes et leurs reflets. La rosée abondante commençait de scintiller sous une clarté translucide, un soleil invisible s'évertuait de triompher des brouillards de la nuit.

Angélique avait peu dormi. La tente qui les abritait ne manquait pourtant pas de confort, et si le tapis de branches de sapins recouvert de peaux sur lesquelles elle s'étendait n'était pas des plus doux, elle avait connu des couches plus rudes. Mais la soirée lui avait laissé un sentiment de malaise.

Maintenant, goûtant la fraîcheur de cette prime aube, elle brossait ses longs cheveux devant un petit miroir appuyé contre une branche, en se disant qu'il lui faudrait trouver quelque introduction pour adoucir ce jésuite, détendre la fibre de ce cœur tendu comme un arc de guerre.

Elle l'aperçut donc, se livrant à ses préparatifs

de départ. Et, après un instant d'hésitation, elle déposa sa brosse et son peigne, secoua sa chevelure sur ses épaules.

La veille, durant leur conversation, elle n'avait cessé d'avoir une question sur le bout des lèvres, et elle n'avait pu trouver l'occasion de la poser au cours d'un tel échange de phrases austères, sibyllines et plus ou moins dangereuses.

Or, cette question lui tenait à cœur.

Angélique se décida.

Retenant sa jupe afin d'éviter le contact des foyers éteints et des marmites de graisse du campement, elle se fraya un passage à travers le désordre indien habituel, suivit le sentier le long de l'anse du fleuve et, dérangeant deux chiens fauves qui rongeaient des viscères de daim, elle s'approcha du religieux qui, en son pauvre équipage, s'apprêtait à reprendre la route.

Depuis quelques instants, il l'avait vue venir émergeant de la brume évanescente et dorée du matin. Le même reflet brillant que l'aube mettait sur les feuillages jouait sur sa chevelure claire épandue.

De complexion délicate, le père de Guérande était souvent, au lever, atone et avait l'esprit vide. Peu à peu, le souvenir de Dieu lui revenait et il se mettait à prier. Mais il lui fallait un certain temps pour retrouver le fil de ses pensées. En voyant s'approcher Angélique, il ne la reconnut pas, tout d'abord, et il se demandait avec effarement : qui est-ce? qui est cette apparition?

Puis, se souvenant : Elle, la comtesse de Peyrac, il éprouvait comme une brusque douleur au côté et elle devina nettement, malgré ses traits impassibles, son recul de peur et de répulsion, un raidissement de tout l'être.

Elle sourit afin de dérider ce jeune visage de pierre.

— Mon père! Nous quittez-vous déjà?

— Les devoirs de ma charge m'y obligent, madame.

— Mon père, j'aurais voulu vous poser une question qui me préoccupe.

— Je vous écoute, madame?

— Pourriez-vous m'indiquer avec quelle sorte de plantes le père d'Orgeval fabrique ses chandelles vertes?

Le jésuite s'attendait visiblement à tout, mais pas à cela. Sous le coup de la surprise, il se déconcerta. Tout d'abord, il cherchait dans les paroles d'Angélique quelque sens hermétique, puis, comprenant qu'il s'agissait bien de questions pratiques et ménagères, il perdit pied. La pensée qu'elle se moquait de lui l'effleura, lui fit monter le sang au visage, puis il se ressaisit, fit un effort désespéré de mémoire pour se souvenir de détails qui lui permettraient de répondre avec précision.

— Les chandelles vertes? marmonna-t-il.

— On dit que ces chandelles sont fort belles, poursuivait Angélique, et répandent la plus aimable lumière blanche. Je crois qu'on les obtient avec des baies que les Indiens récoltent vers la fin de l'été, mais, si vous aviez pu me dire au moins le nom de l'arbuste qui les porte, vous qui connaissez bien la langue sauvagine, vous m'auriez obligée...

— Non, je ne saurais vous dire... Je n'ai pas pris garde à ces chandelles...

« Le pauvre homme n'a pas le sens des réalités, se dit-elle, il vit dans son rêve. » Mais il lui était plus sympathique ainsi que retranché derrière sa cuirasse de combattant mystique. Elle entrevit un terrain d'entente.

— C'est sans importance, affirma-t-elle. Ne vous retardez pas, mon père.

Il eut une inclinaison de tête brève.

Elle le regarda monter avec l'aisance de l'habitude dans le canoë indien sans y apporter « ni sable ni caillou », comme l'avait recommandé le père Brébœuf à ses missionnaires. Le corps du père de Guérande s'était plié aux impératifs de la vie primitive, mais son esprit n'en accepterait jamais l'intolérable désordre. « Les sauvages auront raison de lui », avait dit Peyrac. L'Amérique aurait raison de lui. Cette longue carcasse, dont l'échine maigre se devinait sous la robe noire usée, connaîtrait le martyre. Tous, ils sont morts martyrs.

Le père de Guérande jeta un dernier regard en direction d'Angélique, et ce qu'il lut dans ses yeux lui fit ébaucher une sorte de grimace amère et orgueilleuse.

Par l'ironie, il se défendit de cette pitié inexplicable qu'il sentait en elle à son endroit.

— Si la question que vous m'avez posée vous intéresse à ce point, madame, pourquoi ne pas en demander vous-même la réponse au père d'Orgeval... en allant le voir à Noridgewook?...

3

Maintenant, trois barques, gréées de voiles que gonflait le vent du fleuve, descendaient le Kennebec. A la dernière halte, les bagages avaient été transbordés des canoës indiens dans des esquifs plus vastes et confortables. Ceux-ci avaient été assemblés et gréés par trois hommes du comte de Peyrac qui, après avoir hiverné au cantonnement du Hollandais, reprenaient leur poste près d'une petite mine d'argent que celui-ci avait recensée l'an passé. Ainsi, les hommes et alliés du gentilhomme français essaimaient partout. Insensiblement, un vaste réseau actif de mineurs et de colons s'installait en son nom dans le Dawn East.

Yann, après avoir accompagné Florimond de Peyrac jusqu'au lac Champlain avec la caravane de Cavelier de La Salle, était revenu juste à temps pour reprendre sa place d'écuyer auprès du comte de Peyrac pendant ce voyage vers l'Océan. Il avait apporté de bonnes nouvelles du fils aîné, mais il n'augurait pas un bon résultat de l'expédition entreprise vers le Mississippi, par la faute du caractère difficile du chef de ladite expédition, le Français Cavelier.

La barque de bois, nantie d'une seule voile et d'un petit foc, ne pouvait contenir guère plus d'occupants que les canots indiens qui se montraient toujours à ce sujet magiquement extensibles. Mais l'on y était plus à l'aise pour voyager.

Yann Le Couennec manœuvrait la voile tandis

que le comte tenait la barre. Angélique s'asseyait près de lui.

Le vent tiède et fantasque jouait avec ses cheveux.

Elle était heureuse.

Tant il est vrai que le mouvement d'un bateau entraîné au fil de l'eau s'accorde avec l'élan vital de l'âme. Liberté, fluidité, et pourtant maîtrise. Possession de soi-même, et pourtant cette grisante impression de s'être pour quelque temps libéré des contingences terrestres. Le fleuve était vaste. Les rives lointaines et brumeuses.

Elle était seule avec Joffrey. Elle vivait dans une plénitude de sentiments à la fois paisibles et vivaces qui comblait tout son être. Depuis Wapassou, depuis l'hiver vaincu, il n'y avait plus en elle de conflits. Elle était heureuse. Ce qui pouvait heurter ou déranger son existence ne l'atteignait pas réellement. La seule certitude qui lui importait, c'était de le savoir là, près d'elle, et la conscience d'être devenue digne de son amour. Il le lui avait dit, là-bas, au bord du lac d'argent, tandis que l'aurore polaire se déployait au-dessus des arbres. Elle était sa compagne. Elle était le complément de son grand cœur et de son esprit sans mesure, elle, ignorante de tant de choses et qui avait si longtemps erré, faible et égarée, dans un monde sans havre. Elle était réellement à lui, maintenant. Ils avaient reconnu leur parenté d'âme. Elle, Angélique — et lui, cet homme si terriblement viril et combatif, cet homme en dehors du commun, ils étaient liés maintenant. Personne ne pourrait défaire cela.

Elle le regardait par instants, captait son image,

son visage basané et couturé, avec ses sourcils qui se fronçaient sur ses yeux à demi fermés pour supporter la réverbération étincelante de l'eau. Tout près de lui, comme cela, sans le toucher, ses genoux près des siens, sans un geste, ils étaient unis charnellement, lui semblait-il, avec une intensité qui par instants colorait ses joues. Alors c'était lui qui la regardait d'un regard énigmatique, comme indifférent.

Il voyait son profil perdu et notait la courbe duveteuse de la joue que fouettait avec nonchalance la chevelure dorée. Le printemps l'avait ressuscitée. Elle avait des formes pleines et douces, une grâce animale dans l'immobilité comme dans chacun de ses gestes.

Il y avait des étoiles dans ses yeux, une étincelle sur sa lèvre mouillée, pulpeuse et entrouverte.

Soudain, dans une belle courbe du fleuve, une grève apparut et l'emplacement d'un ancien village. D'une autre embarcation, un Indien lança un appel.

Joffrey de Peyrac tendit le doigt vers la ligne des arbres que pastellisait de bleu doux la brume de chaleur.

— Par là! dit-il, Noridgewook... La mission...

Le cœur d'Angélique tressaillit. Mais elle serra les lèvres et fit front. Elle décida en son for intérieur qu'ils ne devaient pas quitter la région sans avoir rencontré face à face le père d'Orgeval et essayé, par un dialogue diplomatique, de dissiper les difficultés et malentendus qui l'opposaient à lui.

Tandis que les trois barques s'inclinant viraient

en direction de la plage, elle attira à elle le coffret de cuir souple dans lequel elle emportait une partie de ses effets.

Il ne convenait point à une dame de noblesse française d'aborder un si redoutable jésuite dans une tenue trop négligée.

Avec dextérité, elle rangea ses cheveux sous une coiffe bien empesée, mais qu'elle savait seyante, et compléta l'ensemble par son grand chapeau de feutre orné d'une plume rouge. Une note de fantaisie s'imposait également. Elle avait été à Versailles et reçue par le roi. Il fallait le rappeler à l'orgueilleux ecclésiastique qui se servait un peu trop de ses relations avec la cour pour intimider son entourage.

Puis elle enfila un casaquin à manches qu'elle s'était confectionné, au fort, avec du drap de Limbourg bleu, et qu'elle avait réussi à orner d'un col et de manchettes de dentelle blanche.

La chaloupe abordait.

Yann attrapa une branche d'arbre pendante et tira le bateau sur le sable.

Afin d'éviter que sa femme mouillât ses souliers et le bas de sa robe, Peyrac l'enleva dans ses bras pour la porter un peu plus loin. Ce faisant, pour la réconforter, il lui adressa un sourire de connivence.

Ce bout de plage était désert et des buissons de sumac, dominés par de grands ormes déliés, l'entouraient. Apparemment, le village avait décabané depuis plusieurs saisons déjà car le lieu se couvrait d'un maquis d'aubépiniers.

Un des Indiens dit que la mission se trouvait plus loin, à l'intérieur.

— Il faut pourtant que je discute avec cet intraitable, protesta Peyrac, contrarié.

— Oui, il le faut, affirma Angélique bien qu'elle fût pleine d'appréhension.

Dieu ne permettrait pas qu'ils s'éloignassent de ces lieux sans emporter une promesse de paix.

Tandis qu'ils s'engageaient les uns derrière les autres dans un sentier creusé dans la verdure, l'odeur des aubépines en fleur les poursuivait, entêtante et délicieuse.

A mesure qu'on s'éloignait de la rive le vent tombait. La chaleur s'installait, immobile et pesante. Toutes ces senteurs de fleurs et de pollen oppressaient, communiquaient un trouble fébrile, une nostalgie imprécise d'on ne savait quoi.

Deux Espagnols ouvraient la marche de la colonne, deux autres la fermaient. On avait laissé quelques hommes armés à la garde des barques.

Le sentier serpentait à travers la forêt printanière, tantôt étroit et resserré entre des buissons touffus, tantôt s'élargissant entre des halliers de merisiers et de noisetiers.

Ils cheminèrent près d'une heure. Comme ils étaient au plus profond de la verdure, le son d'une cloche s'éleva. Elle avait un son pur. Ses notes claires volaient sur la forêt en battements pressés.

— C'est la cloche d'une chapelle, dit l'un des promeneurs en s'arrêtant, ému. Nous ne devons pas être loin.

La colonne des gens de Wapassou reprit sa marche. L'odeur qui rôde aux approches des villages commençait de venir à eux, faite de relents de fumée de feux de bois et de tabac, de graisse cuite et de maïs bouilli.

Personne ne surgissait à leur rencontre. Cela ne cadrait pas avec la curiosité habituelle des Indiens, toujours avides du moindre spectacle.

La cloche tinta encore, puis se tut.

Ils débouchèrent à l'entrée du hameau. Celui-ci était composé d'une vingtaine de wigwams arrondis recouverts d'écorce d'orme et de bouleau qu'entouraient des jardinets où mûrissaient courges et citrouilles aux ramifications folâtres. Quelques volailles étiques picoraient çà et là. A part ce léger remue-ménage des volatiles, le village semblait désert.

Ils s'avancèrent au long de l'allée centrale dans un silence épais comme une eau bourbeuse.

Les Espagnols avaient posé le canon de leurs gros mousquets sur les fourches, prêts à se mettre en position de tir au moindre mouvement suspect, et leurs yeux guettaient de partout.

Ils tenaient la fourche de la main gauche, l'index de la main droite effleurant la gâchette du briquet, et ils avançaient, la crosse bien bloquée sous l'aisselle.

Ils arrivèrent ainsi fort lentement jusqu'au fond du village. C'est là que se trouvait la petite chapelle du père d'Orgeval.

4

Entourée de buissons fleuris qui lui faisaient

comme un reposoir, c'était une jolie construction de bois, façonnée par un artisan habile. On savait de notoriété publique que le père jésuite l'avait bâtie de ses mains.

Un campanile surmontait le corps de maison principal et la cloche d'argent y frémissait encore.

Dans le silence, Joffrey de Peyrac s'avança et poussa la porte.

Et presque tout de suite ils furent éblouis par une mouvante et vive lumière. Plantés sur quatre torchères d'argent à plateaux ronds, des fagots de chandelles allumées brasillaient avec un chuchotement léger qui donnait l'impression de présences dissimulées. Mais il n'y avait personne à l'intérieur, à part ces vivantes chandelles d'une douce couleur verte qui repoussaient toutes les ombres.

Les torchères par deux étaient plantées de chaque côté du maître-autel.

Joffrey de Peyrac et Angélique s'approchèrent.

Au-dessus de leurs têtes, une lampe brillait de vermeil ajouré que doublait une verrerie pourpre. Elle contenait un peu d'huile où trempait une mèche allumée.

— Les Saintes Espèces sont présentes, murmura Angélique en se signant.

Le comte se découvrit et inclina le front. Une senteur odoriférante s'exhalait dans la chaleur brûlante des cierges.

Des deux côtés du maître-autel, des chapes et des chasubles exposées et tendues étincelaient de tous leurs ors et leurs soies et de leurs visages de saints et d'anges brodés, hiératiques et somptueux : « Les robes de lumière », comme les appelaient les Indiens, qui les jalousaient aux prêtres.

La bannière était là et ils la virent pour la première fois telle qu'on leur avait déjà décrite, tachée du sang des Anglais, avec ses quatre cœurs rouges à chaque coin et le glaive en travers de la soie blanche, et souillée par les combats.

Les très beaux vases sacrés, corporals brodés d'argent, reliquaires, étaient exposés auprès du tabernacle, au-dessus duquel se dressait une magnifique croix d'argent processionnaire.

Le reliquaire était une pièce ancienne offerte par la reine mère. Ce coffret en cristal de roche fatimide était monté de six bandes d'or où alternaient perles et rubis. On le disait contenir une écharde d'une des flèches ayant tué saint Sébastien au IIIe siècle.

Sur la pierre d'autel était exposé un objet qu'ils distinguaient mal.

Ils s'approchèrent et ils virent.

C'était un mousquet.

Long, luisant, bel objet de guerre, il était posé là. En offrande, en hommage.

En déclaration catégorique.

Ils eurent le même tressaillement. Il leur semblait entendre la prière qu'avait prononcée ici même tant de fois celui à qui appartenait cette arme :

« Accepte en expiation de nos péchés le sang répandu pour toi, Seigneur...

» Le sang impur de l'hérétique.

» Le sang de l'Indien sacrifié.

» Le sang enfin de mes blessures pour toi répandu. Pour ta gloire, pour ta plus grande gloire...

» Accepte les labeurs et les fatigues de la guerre,

pour Toi, Seigneur, pour faire régner la Justice, pour effacer Tes ennemis de la surface de la terre, pour écraser l'idolâtre qui Te méconnaît, l'hérétique qui te bafoue, l'indifférent qui t'ignore. Que seuls ceux qui Te servent aient le droit de vivre. Que seul Ton règne arrive. Que seul Ton nom soit vénéré!

» Moi, ton serviteur, je prendrai les armes et j'exposerai ma vie pour Ton triomphe, car Toi seul m'importe. »

Cette prière passionnée et violente, ils l'entendaient au fond de leur cœur et elle leur était perceptible au point qu'Angélique sentit une peur d'une espèce particulière s'insinuer en elle.

Elle « le » comprenait. Elle comprenait parfaitement que Dieu fût pour cet homme comme le Seul.

Se battre pour sa propre vie?... quelle dérision! Pour conserver des biens?... quelle mesquinerie!

Mais pour Dieu! quelle mort et quel enjeu!...

Le sang des Croisés, ses ancêtres, lui remonta au cœur par bouffées. Elle comprenait à quelle source se désaltérait et s'alimentait tour à tour la soif de martyre et de sacrifice de celui qui avait déposé là cette arme.

Elle l'imaginait le front incliné et les yeux clos, loin, détaché de son misérable corps mortifié. Là, il avait offert tous les labeurs de la guerre, les fatigues de la bataille, celles des massacres, qui laissent les bras rompus d'avoir trop frappé, les lèvres sèches de ne pas avoir repris souffle dans la mêlée, il avait offert la joie des triomphes, les prières de la victoire, le sacrifice de l'orgueil abandonnant aux anges et aux saints le mérite d'avoir rendu prompts et vaillants les bras des guerriers...

« Mousquet de la guerre Sainte, fidèle serviteur, veille aux pieds du Roi des Rois, en attendant l'heure de tonner pour lui!

» Arme bénie, sanctifiée, bénie, bénie mille fois, belle pour l'honneur de Celui que tu sers et que tu défends, veille, prie et que ceux qui te contemplent ne prévalent pas contre toi.

» Que ceux qui te contemplent aujourd'hui comprennent ton symbole et le message que je leur crie pour toi!... »

L'angoisse serra la gorge d'Angélique.

« C'est terrible, songea-t-elle. Lui, il a les anges et les saints avec lui, tandis que nous... »

Elle jeta un regard éperdu vers l'homme qui se tenait à ses côtés, son époux, et déjà la réponse se levait en son cœur :

— Nous... nous avons l'Amour et la Vie...

Sur la face de Joffrey de Peyrac — l'aventurier, le réprouvé — les lueurs tressautantes des cierges réveillaient d'apparentes expressions d'amertume et de moquerie.

Pourtant, il était, en cet instant, impassible. Il ne voulait pas effrayer Angélique, donner à l'incident sa mesure exacte et mystique. Mais lui aussi avait compris le message de l'arme exposée.

« Une telle puissance! Un tel aveu!... Entre vous et moi, à jamais, la destruction.

» Entre lui, le solitaire, et eux, les privilégiés de l'amour, la guerre... La guerre à jamais! »

Et sans doute, là-bas dans la forêt, abîmé le

front contre terre, les voyait-il exactement au fond de lui-même, le prêtre guerrier, le jésuite, les voyait-il, ceux qui avaient choisi les délices de ce monde, ce couple debout en face du signe de la croix, tels qu'ils étaient, leurs mains proches et prêtes à se saisir, et qui se saisissaient en effet, en silence...

La main chaude de Peyrac enserra les doigts froids d'Angélique. Une fois encore, il s'inclina avec respect devant le tabernacle, puis lentement il recula, il l'entraîna hors de la chapelle brasillante et parfumée, barbare et mystique, brûlante, ardente...

Au-dehors, ils durent s'arrêter pour reprendre pied dans le jour différent, pour réintégrer le monde avec son soleil blanc, son bourdonnement d'insectes, ses odeurs de village.

Les Espagnols continuaient d'être inquiets, en alerte...

« Où est-il? songeait Angélique, où est-il? »

Elle le cherchait par-delà les haies et les arbres tremblants, submergés de chaleur, pâlis d'une fine poussière dansante.

D'un geste, le comte de Peyrac indiqua à sa compagnie d'avoir à reprendre le chemin du retour.

A mi-chemin, une pluie légère se mit à tomber, faisant murmurer la forêt.

A ce murmure, le battement d'un tambour vint se joindre, lancinant et lointain.

Ils hâtèrent le pas.

Lorsqu'ils parvinrent aux barques, le fleuve crépitait sous la subite averse et les rives s'étaient effacées.

Ce ne fut qu'une ondée.

Bientôt, le soleil réapparut, plus vif dans un paysage lavé, et la voile se gonfla doucement.

Suivies de la flottille de canoës d'Indiens qui s'en allaient à la traite, les barques recommencèrent à descendre le cours de l'eau et bientôt, derrière un promontoire de cèdres et de chênes touffus, sombres et prodigieux, l'emplacement de la mission de Noridgewook s'effaça.

5

A l'étape suivante, tandis qu'on installait le campement, Angélique aperçut une femme indienne qui courait, portant sur la tête un objet insolite. Elle la fit poursuivre et l'Indienne ramenée ne se fit pas prier pour exhiber l'objet en question qui était un énorme pain de fleur de froment. Elle l'avait échangé, ce jour, contre six peaux de loutres noires au poste de- traite du Hollandais ainsi qu'une chopine d'eau-de-vie pour deux renards argentés. Elle retournait à son campement, où elle avait encore des fourrures. Le poste du Hollandais était bien achalandé, affirmait-elle.

Il s'annonça par une sympathique odeur de boulangerie. Les Indiens étaient friands de pain de blé, et, à la saison du troc, le commis du traitant ne cessait d'enfourner des miches dans un grand four en briques. Le poste était construit sur une île.

Dans l'espoir, peut-être vain, que cela lui éviterait de subir le sort des établissements précédents qui s'étaient fondés depuis cinquante ans autour du grand village de Houssnock (1), et qui avaient été à plusieurs reprises pillés, brûlés, rasés sous différents prétextes.

Houssnock n'était même plus aujourd'hui une simple bourgade. Seuls le nom et l'habitude pour les tribus nomades descendant vers le sud de faire halte en cet endroit restaient.

A partir de là, en effet, où commençait à se faire sentir le mouvement des marées, on se trouverait dans l'embouchure du Kennebec et, malgré la limpidité des eaux, vastes, calmes et puissantes qui coulaient entre les rives forestières, on devinait à toutes sortes d'indices que la mer était proche.

Il y avait comme une saveur salée dans l'air plus humide, et les Indiens de la région, les Wawenokes et Kanibas, plutôt que de s'oindre de graisse d'ours, s'enduisaient de la tête aux pieds d'huile de loups-marins, nom qu'ils donnaient aux phoques dont ils faisaient la chasse durant l'hiver sur les côtes de l'Océan. De forts effluves de poissonneries se mêlaient donc aux effluves du pain chaud et aux senteurs sauvages des fourrures amoncelées, pour composer autour du poste de traite une symphonie olfactive puissante mais

(1) Aujourd'hui la ville d'Augusta.

peu faite pour les odorats délicats. Il y avait longtemps qu'Angélique ne se préoccupait plus de ces détails. Le grouillement de fourmilière qui noircissait le fleuve autour de l'île lui parut de bon augure. On devait trouver là des trésors de marchandises inédites.

L'île abordée, chacun se dispersa à la recherche d'une occasion, d'une affaire. Joffrey de Peyrac fut presque aussitôt abordé par quelqu'un qu'il devait connaître et qui se mit à lui parler dans une langue étrangère.

— Viens, dit Angélique à la petite Anglaise Rose-Ann, nous allons d'abord nous désaltérer car je suppose que l'on peut trouver ici de la bière bien fraîche. Ensuite, nous ferons nos emplettes, comme à la Galerie du Palais.

Elles finissaient par se débrouiller assez bien entre elles pour la question du langage, car, ces derniers mois, prenant Cantor pour magister à l'occasion, Angélique s'était exercée à la langue anglaise. Sa pupille d'ailleurs n'était guère bavarde. Son visage lisse et pâle, à la mâchoire un peu prognathe, avait une précoce expression de sagesse rêveuse. Elle paraissait parfois égarée, légèrement abrutie.

C'était cependant une gentille enfant car, au moment du départ de Wapassou, elle avait laissé sans hésitation sa poupée à Honorine. Et pourtant cette poupée, la petite captive mourante avait eu l'habileté et la force d'amour de la dissimuler dans son corsage afin qu'elle ne tombât pas entre les mains des Indiens.

Honorine avait apprécié le présent. Entre le jouet merveilleux et son ours apprivoisé, elle saurait attendre sans trop d'impatience le retour de sa mère.

Malgré cela, Angélique continuait à regretter sa présence. La petite bonne femme aurait tellement joui de l'animation de ce poste où la traite battait son plein.

Le Hollandais, gérant et représentant de la Compagnie de la baie du Massachusetts, trônait au milieu de la cour, en rhingrave noire, juponnante et poussiéreuse.

Pour l'heure, un mousquet à la main, il mesurait un paquet de peaux de castor.

La hauteur d'un canon de fusil représentait quarante peaux.

Le bâtiment était modeste, bâti de bardeaux passés au brou de noix.

Angélique et Rose-Ann pénétrèrent dans une grande salle. Deux fenêtres garnies de petits losanges de verres plombés y versaient une clarté suffisante tout en conservant la pénombre propice à la fraîcheur. Malgré les allées et venues des Indiens, nécessitées par le marchandage, une certaine propreté régnait, ce qui en disait long sur la poigne énergique et le don d'organisation du maître de ces lieux.

Sur la droite, il y avait un long comptoir garni de balances, de pesons et de récipients et mesures divers dans lesquels on versait les perles et la quincaille pour les débiter.

Au-dessus et le long d'une partie des murs, des rayons de planches superposées supportaient des marchandises parmi lesquelles Angélique distinguait déjà des couvertures, des bonnets de laine, des chemises et du linge, de la cassonade et du sucre blanc, des épices, des biscuits. Il y avait aussi des tonneaux de pois, de fèves, de pruneaux, de lard salé et de poisson fumé.

Un grand âtre de briques flanqué d'ustensiles de cuisine ne servait en ce jour très chaud qu'à mijoter sur quelques braises le repas sans doute frugal du traitant et de ses commis.

Sur le rebord de l'auvent était posée une série de pichets, de bocks et de gobelets d'étain, réservés aux clients désireux de consommer la bière dont la barrique imposante, ouverte à tous, trônait en bonne place. De profondes louches accrochées au rebord permettaient à chacun de se servir à son gré. Une partie de la salle tenait lieu de taverne, avec deux grandes tables de bois garnies d'escabeaux, plus quelques tonneaux renversés pour compléter l'aménagement en cas d'affluence ou pour les buveurs solitaires. Des hommes étaient assis par là, enveloppés dans les nuages de fumée bleue.

Lorsque Angélique entra, personne ne bougea, mais des têtes se tournèrent lentement et des yeux luirent. Après avoir salué alentour, elle prit deux gobelets d'étain sur l'auvent de la cheminée. Boire un peu de bière fraîche était une nécessité urgente.

Mais pour atteindre la barrique il lui fallait déranger un chef indien qui, drapé dans son manteau brodé, pétunait d'un air endormi, à l'extrémité d'une des tables.

En langue abénakis, elle le salua avec les circonlocutions d'usage et le respect dû à son rang que révélaient ses plumes d'aigle plantées dans son chignon noir à longues tresses.

L'Indien parut sortir de son rêve nébuleux et se dressa subitement.

Ses yeux s'éclairèrent, pétillèrent. Il la considéra quelques instants avec étonnement et enchantement, puis, posant une main sur son cœur, il tendit la jambe droite en avant et s'inclina dans un salut de cour impeccable.

— Madame, comment me faire pardonner? fit-il en excellent français. Je m'attendais si peu à une telle apparition. Permettez-moi de me présenter : Jean-Vincent d'Abbadie, seigneur de Rasdacq et d'autres lieux, baron de Saint-Castine, lieutenant du roi en sa forteresse de Pentagoët, pour le gouvernement de ses possessions en Acadie.

— Baron, vous me voyez ravie de vous rencontrer. J'ai beaucoup entendu parler de vous...

— Et moi-même, madame... Non, inutile de vous nommer. Je vous reconnais, quoique ne vous ayant jamais vue... Vous êtes la belle, la très belle Mme de Peyrac! Bien que préparé par tant et tant de récits, la réalité dépasse de loin ce que mon imagination avait pu concevoir... Vous m'avez pris pour un Indien?... Comment expliquer mon attitude discourtoise? En vous voyant tout à coup devant moi, comprenant dans un éclair qui vous étiez et que vous étiez là, je suis demeuré saisi, pétrifié et muet comme ces mortels que les déesses viennent visiter par on ne sait quel incompréhensible caprice dans leur sombre séjour terrestre. Car en vérité, oui, madame, je savais que vous étiez infiniment belle, mais j'ignorais que vous le fussiez avec tant de charme et d'aménité. De plus, entendre les mots de la langue indienne, que j'aime tant, tomber de votre bouche et voir votre sourire éclairer soudain cet antre sombre et grossier, quelle surprenante sensation! Je ne l'oublierai jamais!

— Et vous, monsieur, je vois bien maintenant que vous êtes gascon! s'écria-t-elle en éclatant de rire.

— M'avez-vous vraiment pris pour un Indien?

— Certes.

Elle détaillait son teint cuivré où brillaient deux prunelles intensément et pleinement noires, sa chevelure, son maintien.

— Et comme ceci? fit-il en rejetant la couverture rouge brodée de perles et de poils de porc-épic dans laquelle il se drapait.

Il apparut dans le justaucorps bleu soutaché d'or des officiers du régiment de Carignan-Sallières, avec au col un jabot de dentelle blanche. Mais en ce seul vêtement résidait son uniforme réglementaire. Pour le reste, il portait les hautes jambières à l'indienne et des mocassins remplaçant culotte et bottes.

Il se campa, un poing sur la hanche, avec la morgue d'un jeune officier de la suite du roi.

— Et comme ceci? Ne suis-je pas un parfait courtisan de Versailles!

Angélique secoua la tête.

— Non, fit-elle, votre bagou vient trop tard! monsieur. Vous êtes un chef abénakis à mes yeux.

— Eh bien, soit! fit le baron de Saint-Castine avec gravité. Et vous avez raison.

Il s'inclina pour lui baiser la main.

Cet échange vif et animé d'hommages et de courtoisies à la française s'était effectué en toute liberté dans le décor embrumé de la tabagie; le regard impavide des buveurs n'avait pas cillé. Quant aux quelques Indiens présents dans la salle du poste, occupés de leurs échanges, ils ne prêtaient, pour une fois, aucune attention à la scène. L'un comptait des aiguilles une à une avec un aimant, l'autre essayait les lames de couteau-jambette sur le bord du comptoir, un troisième, en se reculant pour mesurer une pièce de drap, heurta Angélique et, non content, la poussa sans ménagement parce qu'elle le dérangeait.

— Allons donc ailleurs, décida le baron. Il y a une pièce à côté où nous pourrons deviser en paix. Je vais demander au vieux Josué Hinggins de nous y porter une collation. Cette charmante enfant est-elle votre fille?

— Non, c'est une petite Anglaise qui...

— Chut! l'interrompit vivement le jeune officier gascon. Une Anglaise!... Si cela s'apprend, je ne donne pas cher de sa chevelure, tout au moins de sa liberté.

— Mais je l'ai dûment rachetée aux Indiens qui l'avaient capturée, protesta Angélique.

— Votre qualité de Française vous permet certaines choses, dit Saint-Castine, mais l'on sait déjà que M. de Peyrac n'a pas coutume de racheter les Anglais pour les faire baptiser. Cela déplaît en haut lieu. Donc, surtout, ne laissez pas soupçonner que cette petite est anglaise.

— Il y a ici pourtant bien des étrangers. Le chef de ce poste n'est-il pas Hollandais, et ses commis me semblent venus tout droit de Nouvelle-Angleterre.

— Cela ne prouve rien.

— Enfin, ils sont bien là.

— Pour combien de temps?... Croyez-moi, soyez prudente. Ah! chère comtesse, s'exclama-t-il en baisant de nouveau le bout de ses doigts, comme vous êtes charmante, et tout à fait semblable à la réputation qu'on vous a faite!

— Je croyais qu'on m'avait fait chez les Français une réputation plutôt diabolique.

— Vous l'êtes, affirma-t-il. Diabolique pour ceux qui sont comme moi trop sensibles à la beauté des femmes... Diabolique aussi pour ceux qui... Enfin, je veux dire que vous êtes tout à fait semblable à votre époux... que j'admire et qui m'effraie. A vrai dire, si j'ai quitté mon poste de Pentagoët et me suis rendu sur le Kennebec, c'était dans l'intention de le rencontrer. J'ai de graves communications à lui faire.

— Les choses ont-elles mal tourné pour Gouldsboro? interrogea Angélique en pâlissant.

— Non, rassurez-vous. Mais je suppose que M. de Peyrac vous a accompagnée. Je vais le faire prier de venir nous rejoindre.

Il poussait une porte. Mais avant qu'Angélique, tenant toujours Rose-Ann par la main, ait pu pénétrer dans la chambre voisine, quelqu'un dégringolait bruyamment le seuil de la salle principale et se précipitait vers le baron de Saint-Castine.

C'était un soldat français, son mousquet à la main.

— Cette fois, ça y est, monsieur le lieutenant, gémit-il. Ils font leurs chaudières de guerre... Il n'y a pas à s'y tromper. C'est une odeur que je reconnaîtrais entre mille. Venez, venez sentir!

Il agrippa l'officier par la manche et le tira presque de force au-dehors.

— Sentez! Mais sentez cela! insistait-il en pointant un nez à la fois long et retroussé qui lui donnait un air d'amuseur de foire, ça sent... Ça sent le maïs et le chien bouilli. Vraiment, vous ne sentez pas?...

— Cela sent tant de choses, fit Saint-Castine avec une moue dédaigneuse.

— Mais moi, ça ne me trompe pas. Quand ça pue ainsi, c'est qu'ils sont tous, là-bas dans les bois, à faire festin avant de partir au combat. Du maïs et du chien bouilli qu'ils mangent! Pour se donner du courage. Et de l'eau ils boivent, de l'eau par là-dessus, ajouta-til avec une sorte d'horreur qui fit saillir encore ses yeux d'escargot ahuri.

Ce militaire avait une vraie tête de jocrisse. Les baladins qui l'auraient engagé pour leurs tréteaux auraient obtenu un franc succès de rire.

Il est vrai que le vent du fleuve apportait une odeur douceâtre, venue du fond des bois, et qui était celle des festins indigènes.

— Ça vient de là, et de là, et de là, continua le soldat en désignant différents points sur la rive gauche du Kennebec. Moi, ça ne me trompe pas!

Drôle de personnage! Fagoté dans sa casaque bleue, il tenait son arme avec une gaucherie inquiétante. Lui ne portait pas de jambières ni de mocassins, mais de lourds souliers qui semblaient encore ajouter à sa maladresse, et ses gros bas de toile, mal retenus sous les genoux, tombaient en plis fort peu réglementaires.

— Pourquoi vous mettre dans cet état, Adhé-

mar, dit le baron de Saint-Castine avec une hypo-
crite sollicitude. Il ne fallait pas vous engager dans
un régiment colonial si vous aviez si peur de la
guerre indienne.

— Mais puisque je vous dis que c'est le recruteur, en France, qui m'a saoulé et que je me suis
réveillé sur le navire, gémit l'autre.

Sur ces entrefaites, le comte de Peyrac arriva,
accompagné du Hollandais et du Français qui
l'avaient abordé au débarqué.

Ils avaient entendu les affirmations d'Adhémar
quant aux chaudières de guerre.

— Je crois que ce garçon a raison, dit le Français; on parle beaucoup d'expéditions prochaines
des Abénakis pour châtier l'Anglais insolent. En
serez-vous, Castine, avec vos Etchevemins?

Le baron parut contrarié et ne répondit pas.
Il s'inclinait devant le comte, qui lui tendit la
main avec affection.

Puis Joffrey de Peyrac présenta à sa femme
ses deux compagnons.

Le Hollandais se nommait Pieter Boggen.

L'autre était le sieur Bertrand Défour qui, avec
ses trois frères, était propriétaire d'une cursive
dans l'isthme, au fin fond de la Baie Française.

Picard aux fortes épaules, aux traits lourds et
taillés dans un bois recuit par le soleil, il y avait
apparemment fort longtemps qu'il n'avait eu
l'occasion de présenter ses hommages à une jolie
femme.

Il parut tout d'abord embarrassé, puis se
ravisant, aidé par le courage de sa simplicité
naturelle, il s'inclina profondément.

— Il faut fêter ça, dit-il. Allons boire.

Une sorte de râle derrière le groupe fit se retourner les têtes.

Le soldat Adhémar défaillait contre le chambranle de la porte. Maintenant, c'était Angélique que ses yeux fixaient.

— La Démone, balbutia-t-il, c'est... c'est elle!... Vous ne me l'avez pas dit. Ça, c'est pas bien. Pourquoi vous ne me l'avez pas dit tout de suite, mon lieutenant?

Saint-Castine poussa un rugissement exaspéré. Il attrapa l'homme et l'envoya rouler dans la poussière d'un solide coup de pied appliqué au bon endroit.

— La peste soit de ce crétin! fit-il, haletant de fureur.

— D'où sortez-vous ce phénomène? demanda Peyrac.

— Est-ce qu'on sait? Voilà ce que les recrutements de Québec vous envoient maintenant. Croient-ils qu'en Canada nous ayons besoin de soldats qui suent la peur à longueur de temps?...

— Calmez-vous, monsieur de Saint-Castine, dit Angélique en posant une main apaisante sur son bras. Je sais ce qu'a voulu dire ce pauvre homme et — elle ne put s'empêcher de rire — il était tellement drôle avec ses yeux qui lui sortaient de la tête. Ce n'est pas sa faute. De mauvais bruits qui circulent au Canada — et auxquels je ne puis rien — l'ont terrorisé. Ce n'est pas sa faute.

— Ainsi, madame, vous n'êtes pas offensée?... Réellement pas? insista Saint-Castine en se tordant les mains avec une exubérance toute méridionale; ah! je maudis les imbéciles qui, profitant de votre éloignement et du mystère de votre réputation, en ont profité pour répandre de telles sornettes et une légende aussi insultante.

— A moi, maintenant que je suis sortie des bois, de m'efforcer de les détruire. C'est pour m'y employer que j'ai accompagné mon mari vers les rivages. Il faut que, lorsque je retournerai à Wapassou, toute l'Acadie soit enfin persuadée sinon de ma sainteté — ô Dieu, non! — tout au moins de mon inoffensive qualité.

— Pour moi, j'en suis déjà persuadé, affirma le large Défour en plaquant sa main étalée sur son cœur.

— Vous êtes tous deux d'excellents amis, dit Angélique avec reconnaissance.

Et, passant un bras autour des épaules de chacun, elle dédia à l'un et à l'autre un des sourires enchanteurs dont elle avait le secret. Elle savait qu'elle pouvait englober dans la même amitié le très aristocratique baron de Saint-Castine et le brave paysan picard, rendus frères par leur appartenance à la terre folle et sauvage de l'Acadie. Peyrac la regarda, qui les entraînait vers la porte en riant familièrement avec eux.

— Savez-vous, chers amis, leur disait-elle, qu'il n'est pas si déplaisant pour une femme d'être traitée de créature diabolique. Il y a en ces termes on ne sait quel sombre hommage rendu à un pouvoir trop souvent refusé. Le pauvre Adhémar ne méritait pas tant de violences... Maintenant, je vous en prie, ne parlons plus de cela et allons boire. Je meurs de soif.

Dans la seconde salle du poste, ils s'installèrent autour d'une table. Enjoués, ils discutaient entre eux de choses graves, et qui à bien d'autres eussent semblé dramatiques, mais qui, dans leurs bouches, prenaient l'allure de plaisanteries et presque d'incidents comiques.

Le Hollandais, retrouvant en la compagnie des Français la jovialité innée des Flamands, posa sur la table verres, bocks et pichets, de la bière, du rhum, de l'eau-de-vie et une fiasque d'un vin d'Espagne rouge et brûlant qu'un navire corsaire des Caraïbes égaré dans l'embouchure du Kennebec lui avait récemment échangé contre des fourrures.

6

Peyrac souriant écoutait d'une oreille, les yeux fixés sur Angélique, séduit une fois de plus par les côtés divers de sa nature féminine; il se souvenait que, jadis, à Toulouse, elle avait, d'un sourire et de quelques mots, enchaîné à son service ses propres amis les plus jaloux, et désormais ils se seraient fait tuer pour elle. Il retrouvait, mûris par une expérience de femme, son esprit vif et enjoué, son inégalable élégance des gestes, le charme de ses réparties.

Soudain, il l'évoqua, telle qu'elle était l'an passé lorsqu'elle avait abordé avec lui ces contrées, après cet étrange voyage du *Gouldsboro* où ils s'étaient reconnus et retrouvés.

Elle avait alors de grands regards pathétiques, des attitudes de femme traquée. Un halo de malheur semblait l'auréoler.

Voici qu'en moins d'une année elle avait retrouvé sa gaieté, son allant de femme heureuse. C'était l'œuvre de l'amour et du bonheur, malgré les épreuves de l'hiver, son œuvre à lui!

Il l'avait fait renaître à elle-même. Et comme il croisait son regard il lui dédia un sourire de tendresse possessive.

La petite Anglaise, muette et pâle parmi tous ces personnages exubérants, promenait ses regards de l'un à l'autre.

Le baron de Saint-Castine racontait comment le marquis d'Urville, commandant de Gouldsboro, aidé des Huguenots de La Rochelle, avait tenu tête aux deux navires du pirate Barbe d'Or. Finalement, ce qui avait décidé de la victoire, ç'avait été de bonnes salves de canon à boulets rougis. Le feu s'étant déclaré dans ses entreponts, le bandit s'était retiré derrière les îles. Depuis, il paraissait se tenir coi, mais il fallait rester en alerte.

Le comte demanda si les deux navires qu'il attendait, l'un de Boston, l'autre, le *Gouldsboro*, revenant d'Europe, ne s'étaient pas encore présentés. Mais il était trop tôt dans la saison. Quant au petit « yacht » bostonien qui avait déposé les hommes de Kurt Ritz à l'embouchure du Kennebec, il avait été obligé de batailler avec ledit Barbe d'Or et avait regagné le port, très abîmé.

— Voici un dommage que ce brigand va me payer au centuple, déclara Joffrey de Peyrac. Il ne perd rien pour attendre. Et s'il ne me rend pas mon Suisse vivant, c'est sa peau à lui que j'aurai. Je le pourchasserai jusqu'aux antipodes.

Défour annonça que la Baie Française était infestée de cette canaille de pirates ou de flibustiers des mers chaudes. Sachant qu'à l'été les nations du Nord, françaises et anglaises, recevaient des navires d'Europe chargés de marchandises, ils venaient rôder par là pour les arraisonner, avec moins de risques que les galions espagnols. Sans compter que cela attirait vers l'Acadie les navires de guerre anglais, requis pour protéger leurs flottes de pêche de Boston ou de Virginie.

— Sans compter, monsieur le comte, que ces Anglais n'ont rien à faire dans la Baie Française et se croient tout permis.

Il ajouta que, se trouvant sur le point d'entreprendre un voyage de commerce le long de la côte, il lui était venu une idée.

— Vous m'avez si bien ravitaillé l'an dernier, monsieur de Peyrac, alors que j'étais sur le point de mourir de faim faute de réserves, qu'en passant à l'embouchure de la rivière Saint-Jean j'ai raflé les six soldats de la garnison du petit fort Sainte-Marie, et je les ai amenés pour les mettre à votre disposition.

— C'est donc à vous, Défour, que nous devons la présence de ce jocrisse en uniforme, Adhémar? s'étonna le baron.

Le concessionnaire acadien se défendit :

— Celui-là, on me l'a imposé par force. Il paraît que, depuis Montréal et Québec, le Lac Supérieur et la Baie des Chaleurs, tout le monde se le repasse pour s'en débarrasser. Mais les autres sont de forts gaillards et qui savent se battre.

Peyrac riait, enchanté.

— Je vous remercie, Défour. Je ne dédaigne pas la présence de quelques bons tireurs, mais qu'ont dit de votre rapt M. de Wauvenart et le chevalier de Grandrivière?

— Ils étaient à Jernseg. On attend par là-bas la visite du gouverneur de l'Acadie, M. de Ville-davray. C'est d'ailleurs pour cela que j'ai entrepris ma randonnée à travers la Baie, c'est plus prudent. Mes frères se chargeront de recevoir ce gêneur, conclut-il avec de grands éclats goguenards.

— Mais pourquoi n'avez-vous pas déposé vos militaires à Gouldsboro? demanda Castine.

— La tempête m'a drossé jusqu'aux îles Matinicus, répondit l'autre avec simplicité. Après quoi, un brouillard m'a tenu dans la suie complète pendant quatre jours. J'ai donc préféré continuer à me diriger vers l'ouest. La passe de Gouldsboro n'est pas facile à franchir. J'aurais pu tomber sur Barbe d'Or. Mais vous voyez qu'on finit toujours par se rejoindre.

Peyrac se leva pour aller voir les soldats, et ses compagnons le suivirent.

Angélique demeura dans la salle ombreuse. Le vin d'Espagne était délicieux mais un peu étourdissant. Rose-Ann avait bu de la bière. Elle avait faim. A peine Angélique et sa pupille avaient-elles échangé leurs impressions quant à la nécessité pour elles de se remplir l'estomac qu'un aimable vieillard surgit devant elles et déposa sur la table des assiettes garnies de grandes tartines de pain chaud recouvertes de raisiné de bleuets, ces sortes d'airelles que les Français appellent myrtilles et qui en Amérique couvrent d'immenses espaces.

D'un sourire, il les encouragea à se restaurer. Il portait une petite barbiche blanche et il y avait un grand air de bonté sur son visage. Vêtu avec austérité d'un pourpoint noir et de hauts-de-chausses bouffant au-dessus des genoux et d'une forme un peu ancienne, son col blanc et plissé rappelait à Angélique la tenue commune que portait son grand-père au temps où la fraise tuyautée était encore de mode. Il leur annonça qu'il se nommait Josué Pilgrim.

Lorsque la petite Rose-Ann se fut rassasiée, il s'assit près d'elle et l'interrogea amicalement, en anglais.

Il parut fort ému lorsqu'elle lui dit que ses parents se nommaient William et étaient originaires de Biddeford-Sébago. Il annonça à Angélique que les propres grands-parents de Rose-Ann se trouvaient à moins de 30 miles de là, sur la rivière Androscoggi. En un lieu nommé par les Indiens Newehewanick, c'est-à-dire terre de printemps, ils avaient fondé une dizaine d'années auparavant un établissement, aujourd'hui prospère, qui répondait, en anglais, au nom commun de Brunschwick-Falls. C'étaient des gens entreprenants que ces William. Toujours à s'en aller plus loin à l'intérieur des terres. Déjà, John William, le fils, avait quitté Biddeford, une riche colonie sur la Baie, pour aller fonder un autre Biddeford sur le lac Sébago. On savait maintenant ce qu'il leur en avait coûté puisqu'ils avaient été emmenés captifs au Canada, bien que les villages de la côte ne fussent pas plus en sécurité lorsque la marée rouge des Indiens déferlait des bois sur les Anglais, mais l'on pouvait toujours, lorsqu'on était sur les rivages, s'enfuir dans les îles.

Mais lui, Josué, comprenait des gens comme ces William, car il n'avait jamais aimé la morue et l'agitation de la mer. Il préférait les reflets des fleuves et des lacs sous les arbres et la chair des dindons sauvages.

Lui-même avait dix ans lorsque avec son père, marchand de Plymouth, au cap Cod, il était venu fonder cet établissement de Houssnock. C'est pourquoi on l'appelait Josué Pilgrim. Car sa colonie était celle des pères pèlerins, et tout enfant il avait débarqué d'un navire appelé le *Mayflower*, sur une terre déserte où la moitié d'entre eux étaient morts dès le premier hiver.

Ayant débité ce récit d'une voix mesurée et un peu doctorale, le vieil homme alla chercher quelque chose sur une étagère et revint avec une plume d'oie, une corne à encre et une fine écorce de bouleau semblable à une feuille de parchemin sur laquelle il se mit à tracer des signes. C'était un plan pour se rendre à l'établissement anglais, où demeuraient le vieux Benjamin William et sa femme Sarah, les grands-parents de Rose-Ann.

Il expliqua ensuite à Angélique qu'en traversant jusqu'à la rive droite du Kennebec et en marchant vers l'est on y arrivait en moins d'une journée.

— C'est providentiel, s'écria-t-elle.

Leur intention, à son mari et à elle, avait toujours été de ramener la fillette parmi les siens, mais l'entreprise présentait des difficultés. Allant à Gouldsboro, c'est-à-dire vers l'est, ils s'éloignaient dans la direction opposée au peuplement

anglo-saxon. La région où ils se trouvaient en
ce moment, le Maine pour les Anglais, l'Acadie
pour les Français, était en fait une région fron-
talière dont le Kennebec marquait la très mouvante limite, un no man's land sans maîtres ni
lois.

La Providence voulait que la famille de leur
protégée se trouvât à moins de dix lieues de
Houssnock...

7

Le soir, revenus tous au poste sur l'invitation
du Hollandais qui désirait offrir un festin à ses
principaux visiteurs de ce jour, ils discutèrent
tout d'abord de la possibilité de reconduire l'enfant.

Leur hôte leur apporta des cartes.

Compte tenu des détours, pistes et collines, il
faudrait envisager trois jours aller et retour pour
se retrouver à Houssnock et reprendre la caravane vers l'ouest et Gouldsboro. Mais Joffrey
de Peyrac découvrit rapidement une autre solution. L'établissement de Brunschwick-Falls se trouvait situé sur la rivière Androscoggi. Navigable
et rapide, cette rivière permettait de rejoindre en
quelques heures l'embouchure du Kennebec.
L'expédition du comte de Peyrac se scinderait en
deux. Un groupe, le plus important, descendrait,
comme prévu, le grand fleuve jusqu'à la mer où
les attendait un navire envoyé par d'Urville.

Durant ce temps, Joffrey de Peyrac et Angélique, accompagnés de quelques hommes, gagneraient le village anglais et, après avoir remis l'enfant à sa famille, descendraient l'Androscoggi jusqu'à la côte, où ils feraient leur jonction avec le premier groupe. L'affaire, finalement, ne devrait pas demander plus de deux jours.

Ceci conclu, on fit honneur à la « Candles-partie » offerte par Pieter Boggan.

Il s'agissait d'une vieille recette que l'on se passe sur les bords de l'Hudson, depuis la Nouvelle-Amsterdam jusqu'à Orange, parmi les Hollandais du Nouveau Monde.

Dans une marmite, verser deux gallons du meilleur madère, trois gallons d'eau, sept livres de sucre, de la mouture d'avoine fine, épices diverses, raisins, citrons...

Servir brûlant dans un grand bol d'argent placé au milieu de la table, chaque invité plongeant tour à tour sa cuillère d'argent dans l'aromatique cordial.

Rien de meilleur pour réveiller les humeurs et conforter les esprits chagrins.

Outre le comte et la comtesse de Peyrac et leur fils, étaient présents le baron de Saint-Castine, l'Acadien Défour, le caporal de la garnison de Saint-Jean, le capitaine français du navire flibustier de l'île de la Tortue et son aumônier.

Le Hollandais et ses deux commis anglais et puritains complétaient l'assemblée.

Angélique était seule femme.

Par le fait de sa présence, et aussi de celle de l'aumônier, le ton resta de bonne compagnie.

Mais Angélique, ayant à cœur de ne pas le leur

faire regretter, sut créer une atmosphère joyeuse où chacun brilla, étincela, se crut phénix. Et les plus francs éclats de rire sortaient du poste de traite, se mêlant aux bruits mystérieux de la nuit et du fleuve.

Lorsqu'ils se séparèrent, ils étaient tous très gais et fort bons amis. Laissant le Hollandais sur son île, ils revinrent, traversèrent le fleuve au clair de lune et rejoignirent qui son campement, qui son navire.

— J'irai vous voir demain, chuchota le baron de Saint-Castine à Peyrac. J'ai des choses importantes à vous communiquer. Mais, ce soir, dormons. Je titube. Bonne nuit à tous.

Il disparut dans la forêt, entouré d'un groupe d'Indiens qui s'étaient aussitôt détachés de l'ombre, comme des fantômes, pour l'escorter.

Au campement, les sentinelles veillaient. Elles avaient reçu d'impératives consignes de Peyrac. Pour plus de sécurité, le groupe s'était réuni en deux cabanes seulement. Personne ne devait demeurer à l'écart pour la nuit. Le comte et sa femme avaient renoncé à leur abri personnel. Houssnock drainait l'écume de toutes les forêts. Il y avait des Indiens de partout, des baptisés avec leur croix d'or et des chapelets parmi leurs plumes. Malgré la présence du Hollandais ou de ses commis anglais, ce n'en était pas moins la France acadienne et canadienne qui régnait par là. C'était encore le domaine des bois. Or, par tous les bois de l'Amérique, règne le Français.

8

— C'est dommage, soupira Angélique... Existe-t-il un homme plus charmant que ce baron de Saint-Castine? Et j'aime tellement rencontrer des Français...

— Parce qu'ils vous font la cour?...

Ils n'avaient pas sommeil et Joffrey soutenait le pas un peu chancelant d'Angélique le long de la rive.

Il s'arrêta et, posant sa main sur la joue d'Angélique, tourna vers lui son visage.

Sous le clair de lune doré, elle était rose et animée et ses yeux vacillaient pleins d'étoiles.

Il sourit, indulgent, tendre...

— Ils vous trouvent belle, mon amour, chuchota-t-il. Ils vous rendent hommage... J'aime les voir ainsi à vos pieds. Je ne suis pas trop jaloux. Ils savent que vous êtes de leur race, une Française, et ils en sont fiers. Et ils sont de la nôtre. Si loin que l'on nous chasse tous deux aux confins de la terre, si injustement que l'on nous sépare des nôtres, cela cependant demeurera toujours. Moi aussi, j'aime rencontrer mes frères les Français et lire dans leurs yeux sincères et hardis l'admiration que vous leur inspirez. C'est une race folle, je pense. Intraitable, et nous sommes de cette race, mon amour. Cela restera toujours!...

L'ombre très noire d'un saule était proche. Ils entrèrent d'un seul pas dans cette ombre, quittèrent la clarté crue de la lune pour l'obscurité propice et, la prenant contre lui, il l'embrassa doucement sur les lèvres. Le désir, leur désir familier et toujours surprenant, montait en eux, se mettait à vivre entre eux de sa vie chaude, brûlante et dévorante.

Mais ils ne pouvaient s'attarder. L'aube bientôt poindrait. La forêt n'était pas discrète. Ils revinrent à pas lents.

Ils marchaient comme en rêve avec le désir entre eux qui les enrobait, avec ce secret, cette onde entre eux qui les animait, cette douleur délicate de l'élan suspendu qui ne voulait pas retomber, et qui nuançait leurs sourires échangés d'un regret, d'une complicité.

Pour Angélique, la main de Joffrey posée légèrement contre sa hanche portait en elle toutes les promesses.

Et, pour lui, le mouvement de sa jambe qu'il sentait contre la sienne le ravissait jusqu'au tourment.

Ce serait pour plus tard.

Dans quelques jours, à Gouldsboro. Charme et saveur du plaisir différé. Les heures à venir seraient longues à passer. Toutes gonflées d'une attente...

De nouveau, ils échangèrent quelques mots avec les hommes en faction.

Les abris dressés étaient pleins de dormeurs.

Angélique se sentait trop éveillée, elle préféra rester dehors.

Elle s'assit seule au bord de l'eau, les genoux entre ses bras et le menton sur ses genoux.

Les yeux d'Angélique erraient sur la nappe dorée du fleuve.

Des écharpes de brume légère flottaient à la surface, en traînées évanescentes.

Elle se sentait heureuse et pleine de vie frémissante et impatiente. Et tout avait une saveur qui la comblait. Comme elle aimait la certitude de l'amour, elle aimait aussi l'attente. C'était l'existence quotidienne qui décidait de leurs étreintes. Ils pouvaient se trouver contraints à vivre de longs jours sages tout occupés de travaux et de passions étrangères au plaisir, et puis, pour un regard, pour une inflexion tendre de voix, c'était la soudaine flambée, le vertige, le besoin avide de solitude à deux.

Alors, elle sombrait dans l'obscurité jalouse, elle chavirait dans ce qu'elle appelait pour elle seule « mes ténèbres d'or », elle se laissait aller à l'oubli saisissant du monde et de la vie même.

Ainsi leur vie amoureuse s'entremêlait si étroitement à la trame de leur existence qu'elle était tantôt comme le murmure souterrain d'un ruisseau, une mélodie imperceptible, tantôt comme un grand souffle de tempête dominant tout et les isolant au sein du monde, les asservissant à ses lois. Mais aussi les libérant de toutes les lois.

Cette vie amoureuse au fil des temps, des jours et des nuits, des mois et des saisons, c'était leur secret pour eux seuls, le ferment de leur joie irradiante, et elle le sentait brûler en elle sans cesse. C'était comme un poids doux au creux de ses reins, une sensation de défaillance dans la région du cœur, quelque chose qui occupait son être tel l'enfant dans le sein maternel, le mystère de l'esprit dans le tabernacle. L'amour...

Elle aspirait à retrouver Gouldsboro, un havre, comme Wapassou. Là-bas, il y avait un grand fort de bois sur la mer, et dans ce fort une pièce aux vastes proportions avec un grand lit couvert de fourrures. Elle y avait dormi avec lui. Elle y dormirait encore tandis que la tempête battrait à grandes gerbes d'écume contre le roc et que le vent hululerait dans les arbres penchés du promontoire. A l'abri de ce palais, dans les maisons rustiques mais solides des Huguenots, les lumières s'éteindraient une à une.

Au matin, tout serait pur et étincelant. Les îles brilleraient comme des joyaux dans le golfe. Elle irait se promener sur la plage avec des enfants à sa suite, elle flânerait dans le port nouveau, elle mangerait des homards à la saveur marine et délectable, des huîtres et des coquillages.

Et puis elle ouvrirait des coffres et rangerait les marchandises apportées par les navires, elle enfilerait des robes neuves et bruissantes et des parures, essaierait des coiffures nouvelles. A Gouldsboro, il y avait un grand miroir en pied serti de bronze vénitien. Dans son reflet, elle se retrouverait neuve aussi et quelle image lui apparaîtrait?

Une force si sereine l'habitait qu'elle ne craignait pas de se retrouver déchue. Elle serait autre simplement. Elle aurait pris ce visage, cette apparence que pendant tant d'années elle avait rêvés en vain. Un visage de femme heureuse, comblée.

Tout n'était-il pas miraculeux? Moins d'un an auparavant, elle avait abordé en vacillant sur ces plages et elle était pleine de crainte. Raidie, amaigrie, livide, avec une sorte de tension et d'épuisement intérieurs, elle avait titubé sur la plage rose de Gouldsboro et peu s'en était fallu qu'elle tombât à genoux, comme expirante. Mais le bras de Joffrey de Peyrac l'avait soutenue.

Tout un temps de luttes cruelles qu'avait affrontées sa jeunesse s'achevait là.

Et comme elles lui semblaient lointaines aujourd'hui, ces quinze années où elle avait erré seule et portant sur ses épaules tout le poids de son existence. Aujourd'hui, elle se sentait plus jeune qu'alors parce que protégée et aimée.

Une allégresse d'enfant parfois illuminait son être et une immense confiance avait remplacé ce doute d'animal peureux et pourchassé, tapi au fond d'elle-même. Car, à l'instant de gravir la plage, un bras cher et robuste l'avait entourée. Et, depuis, il ne l'avait plus lâchée.

« Comme cela rend jeune d'être aimée, songea-t-elle, autrefois j'étais vieille. J'avais cent ans. J'étais toujours sur le qui-vive, armée, agressive. »

Aujourd'hui, lorsque la crainte l'effleurait, ce n'était plus avec la même angoisse vertigineuse, sans recours, qu'elle avait ressentie lorsqu'elle luttait contre le roi et des forces liguées et trop puissantes.

Celui à l'ombre duquel elle se reposait aujourd'hui était fort, lucide et prudent. Il prenait tout en charge sans émoi. Il était différent des autres. Mais il savait les atteindre et s'en faire des amis, et elle commençait à deviner que l'esprit d'un seul homme digne de ce nom peut porter les mondes. Car l'Esprit est plus fort que la matière.

Il triompherait de ses ennemis, de ceux tapis dans l'ombre, et qui refusaient son pouvoir. Si fort était-il qu'il les attirerait à lui par sa sagesse et son allant surprenants.

Le pays gagnerait la paix, les nations s'ordonne-raient, les forêts seraient défrichées et des villes naîtraient, se peupleraient. Il resterait toujours assez de beauté sauvage pour ennoblir ces destinées nouvelles. Riche et admirable toujours serait le Nouveau Monde. Mais délivré des guerres stériles.

A demi engourdie par son rêve et le poids de la nuit grandiose, la pensée d'Angélique se vêtait de ce décor insolite autour d'elle, se drapait dans la passion contenue de la nature, s'accordait à la tension qui rôdait. Rien n'entamait sa secrète jubi-lation.

L'odeur fade des festins guerriers pouvait flot-ter sur la forêt, le tambour battre au loin comme un cœur pressé et impatient, tout était simple. Elle se sentait concernée, mais aussi hors d'atteinte.

Contre la clarté blême de la nuit, du côté du sud-ouest, elle voyait se dresser et se balancer les trois mâts du petit navire flibustier qui avait jeté l'ancre au tournant de la rivière.

De l'autre côté, en revanche, en amont, régnait une obscurité touffue, gorgée de brume et de fumées, qu'étoilait par intermittence la pointe rouge des feux indiens dans les wigwams.

Un renard jappa. Une bête lourde mais souple se faufila dans les herbes auprès d'elle. C'était le glouton de Cantor. Un instant, elle entrevit la lueur de ses prunelles dilatées, à l'inconsciente férocité, qui paraissaient l'interroger.

LE VILLAGE ANGLAIS

1

Le lendemain, Angélique, assise dans la petite salle du poste de traite, cousait activement une robe de drap écarlate pour Rose-Ann. Sa famille serait heureuse de la voir arriver joliment vêtue, et non en pauvre captive de ces « abominables » Français.

Par la fenêtre ouverte, elle aperçut un radeau qui traversait le fleuve.

Trois chevaux. Les chevaux que Maupertuis, le coureur de bois au service de Peyrac, avait amenés la veille de la côte. Son fils était là aussi, et Cantor.

Dès qu'ils abordèrent l'île, le jeune garçon courut à toutes jambes et entra très animé.

— Mon père vous fait dire de partir tout de suite pour Brunschwick-Falls avec Maupertuis. Il ne peut nous accompagner, mais je dois vous servir d'interprète. Nous le rejoindrons demain ou après-demain au plus tard à l'embouchure du Kennebec où notre bateau croise déjà.

— C'est ennuyeux, dit Angélique, je n'ai pas tout à fait fini cette robe. Je n'aurai pas le temps de coudre les nœuds du corsage. Pourquoi ton père ne peut-il nous accompagner?

— Il doit rencontrer sur la côte un chef Etchemin ou Mic-Mac, je ne sais... que le baron de Saint-Castine tient absolument à lui présenter. Avec les Indiens, il faut toujours saisir l'occasion par les cheveux... c'est le cas de le dire. Ils sont si versatiles. Mon père a préféré partir sans attendre et nous charger de reconduire cette petite. En passant, j'ai déjà pris votre bagage au campement.

Angélique aida la petite Anglaise à passer sa jolie robe. Avec des épingles, elle agrafa le col de dentelle et les manchettes que le vieux Josué avait exhibés de quelque ballot marchand.

Rapidement, elle se recoiffait, bouclait la ceinture de cuir qui supportait son pistolet, dont elle ne se séparait pas volontiers.

Les chevaux attendaient dehors, sellés et tenus en bride par Maupertuis et son fils. Angélique vérifia par habitude leur harnachement et la présence du sac de cuir qu'elle avait préparé le matin. Elle s'informa des munitions de chacun.

— Eh bien! partons, décida-t-elle.

— Et moi, qu'est-ce que je fais? demanda le soldat Adhémar qui attendait devant la porte assis sur une barrique renversée, son mousquet entre les jambes.

C'était la fable de l'endroit. Tout le monde en faisait des gorges chaudes. Devinant la terreur que lui inspirait Angélique, ou bien parce qu'il ne savait qu'en faire, le caporal du fort Saint-Jean l'avait commis à la garde expresse de Mme de Peyrac. Partagé entre sa peur superstitieuse et l'esprit de discipline militaire, Adhémar vivait un calvaire.

Maupertuis l'effleura d'un regard apitoyé.

— Reste ici, mon vieux!

— Mais je peux pas rester ici tout seul : c'est plein de sauvages!

— Viens avec nous alors, fit le Canadien, ennuyé. Ton caporal et les autres sont déjà partis avec M. de Peyrac.

— Partis? balbutia le garçon prêt à pleurer.

— Bon! Viens, je te dis. C'est vrai qu'on ne peut pas le laisser ici tout seul, continua-t-il en s'excusant, vers Angélique. Et puis ça fera toujours un fusil de plus.

Ils saluèrent le Hollandais, et peu après avoir abordé l'autre rive ils entrèrent dans la pénombre de la forêt. Un sentier assez visible s'enfonçait sous les ramures dans la direction de l'ouest.

— Où va-t-on par là? interrogea Adhémar.

— A Brunschwick-Falls.

— C'est quoi ça?

— Un village anglais.

— Mais je ne veux pas aller chez les Anglais, moi! C'est des ennemis.

— Bon! Tais-toi fada, et marche.

Envahi par le printemps, le sentier était à peine tracé, mais les chevaux le suivaient d'un pas sûr, avec la divination des animaux qui reconnaissent les passages humains fréquentés malgré les mille obstacles que lançaient buissons et halliers au travers de leur piste. Le printemps insolent ratis-

sait la sauvagerie de la forêt en jets de branches
nouées de verdure, mais flexibles et neuves et qui
s'écartaient facilement. L'herbe était douce et
courte et le sous-bois lumineux. Ils reconnurent
les traces d'un village indien abandonné qu'on
leur avait signalé. Puis replongèrent sous la ramée.
Peu après, entre les troncs des trembles et des bouleaux alignés, ils virent briller les eaux d'un lac;
il étincelait au soleil, absolument paisible comme
un miroir. Et, l'heure de midi approchant, le
silence se fit plus lourd, dans une sorte de torpeur
où bourdonnaient des insectes.

Angélique avait pris en croupe la petite Anglaise.
Maupertuis et Cantor montaient les deux autres
chevaux. Le soldat et le jeune Canadien suivaient
à pied, sans grand mal, car de toute façon les
montures ne pourraient aller qu'au pas, tout le
long du chemin. Mais elles épargnaient à la femme
et à l'enfant les fatigues de la marche.

Adhémar jetait sans cesse des regards angois-
sés autour de lui.

— Y a quelqu'un qui nous suit, j'vous dis.

On finit par s'arrêter pour lui donner satisfaction. On tendit l'oreille.

— C'est Wolverines, dit Cantor, mon glouton.

Et l'animal surgit hors des fourrés à leurs pieds,
tapi comme pour bondir, sa petite gueule démoniaque tendue vers eux en un rictus qui découvrait
ses deux canines blanches et pointues.

Cantor rit de la tête d'Adhémar.

— Quèqu', quèqu' c'est que cette bête-là?

— C'est un glouton et qui va te dévorer tout
vif.

— Hé! mais c'est que c'est gros comme un mouton, ce bestiau! se plaignit l'autre.

Désormais, il se retournait à tout moment pour voir si Wolverines le suivait, et la bête facétieuse le frôlait parfois pour le faire sursauter.

— Marcher avec « ça » sur les talons, si vous croyez que c'est drôle!...

Ils en riaient tous et la petite Rose-Ann ne s'était jamais tant amusée.

La forêt ressemblait à celle de l'autre rive. Elle avait de doux vallonnements, descendant vers de petits ruisseaux et rivières en cascades, des remontées qui menaient à des plateaux pierreux plantés de pins et de cèdres courts et parcourus de brise parfumée, mais qui très vite en s'inclinant retrouvait l'écume verte des arbres feuillus, avec une sorte de plaisir, comme on plonge dans la mer.

Après la chaleur du jour, une brise se leva, qui fit miroiter les feuilles et emplit le sous-bois de murmures.

Ils s'arrêtèrent encore pour consulter le plan que leur avait remis le vieux Josué. A la suite d'un autre village dont les Indiens avaient décabané, la piste était moins certaine. Mais Cantor fit le point avec sa boussole et affirma qu'en continuant dans cette direction on atteindrait le but dans deux ou trois heures.

Sans posséder le flair infaillible de Florimond pour l'art de la topographie, Cantor avait en commun avec son aîné un sens aigu d'observation qui lui permettait de ne jamais s'égarer, et au demeurant tous deux avaient été sévèrement « dressés » en ce domaine par leur père, qui, dès leur plus jeune âge, les avait familiarisés avec les instruments de levé : sextant, chronomètre et marche à la boussole.

Angélique pouvait faire entière confiance à son fils en ce domaine.

Elle n'en regrettait pas moins que Joffrey de Peyrac n'ait pu les accompagner. A mesure que les heures passaient, l'embarras de ce départ précipité lui apparaissait.

Pourquoi Joffrey n'était-il pas là? Et combien cette forêt était déserte, silencieuse et pourtant trop bruyante depuis que le vent s'était levé!

— M. de Peyrac ne vous a-t-il pas donné des explications sur la nécessité de son voyage brusqué? demanda-t-elle en se tournant vers le Canadien. Elle le connaissait moins que les autres, car il n'avait pas hiverné avec eux à Wapassou, mais elle le savait dévoué et sûr.

— Je n'ai pas vu moi-même M. le comte, répondit cet homme. C'est Clovis qui m'a porté son message.

— Clovis?...

Une alarme encore imprécise commença à résonner en elle. Il y avait quelque chose d'inhabituel dans tout ceci. Pourquoi Joffrey... ne lui avait-il pas écrit un message? Cela ne lui ressemblait pas... Ces consignes passées de bouche en bouche... Clovis?... Son cheval buta contre une pierre à fleur de terre et elle dut rassembler son attention pour le guider.

Dans les feuillages dentelés, des chênes d'une sombre émeraude, des troncs puissants se ramifiaient en candélabres noirs.

« On dirait la forêt de Nieul au temps des embuscades... » pensa Angélique.

Frappée de réminiscences, elle souhaitait sortir de cette ombre épaisse.

— Sommes-nous sur la bonne route, Cantor?

— Oui, oui, répondait le jeune garçon en consultant de nouveau son plan et sa boussole.

Mais, un peu plus loin, il descendit de cheval et avec Pierre-Joseph, le jeune métis, ils consultèrent les alentours. La piste disparaissait parmi les broussailles. Les deux jeunes gens affirmèrent qu'il fallait aller par là. Les arbres se rétrécissaient jusqu'à ne plus former qu'une voûte étroite de plus en plus sombre. A un tournant, l'issue de ce tunnel apparut heureusement par un renouveau de lumière, une trouée de soleil.

Mais ce fut à cet instant que Maupertuis leva la main, et tous, même les chevaux, se figèrent sous ce signe. Il y avait eu un changement imperceptible, un changement qui faisait que la déserte forêt était devenue non pas peuplée, mais comme habitée d'autres présences.

— Les Indiens! chuchota Adhémar en défaillant.

— Non, les Anglais, dit Cantor.

En effet, dans l'auréole de soleil qui trouait la ramée, venait de surgir à contresens la plus inattendue silhouette qu'on pût imaginer.

Bossu, tordu, chaussé d'énormes souliers à boucles d'où sortaient ses mollets maigres, coiffé d'un chapeau à bord dont la haute coiffe en pain de sucre paraissait ne pas vouloir finir, un petit vieillard se tenait en arrêt à la sortie du bois. A deux mains, il brandissait un vieux tromblon à canon court et évasé bourré de mitraille. La décharge pouvait mettre à mal, sans nul doute, aussi bien le tireur que ses victimes.

Les arrivants se gardèrent de bouger.

— Halte! cria le petit vieillard d'une voix aigre et perçante. Si vous êtes des esprits, disparaissez, ou je tire!

— Vous voyez bien que nous ne sommes pas des esprits, répondit Cantor en anglais.

— *A minute, please.*

Le vieux releva son arme désuète et d'une main fouilla dans son pourpoint noir. Il en tira une énorme paire de besicles cerclées d'écaille, qu'il posa sur son nez et qui le fit ressembler à une vieille chouette.

— *Ye — es! I See-ee!*... grommela-t-il.

Il traînait sur la fin des syllabes avec une solennité soupçonneuse.

Il s'approcha à petits pas des cavaliers, considérant Cantor de bas en haut et affectant d'ignorer Angélique.

— Et qui es-tu, toi, qui parles avec l'accent du Yorkshire, comme ces sacrés professeurs de Boston? N'as-tu pas la peur du bon chrétien d'aller aux bois? Ne sais-tu pas qu'il n'est pas bon que les jouvenceaux et les femmes aillent aux bois? Ils peuvent y rencontrer l'Homme Noir et faire avec lui mille abominations. N'est-ce pas toi qui me nargues, fils de Bélial le Voluptueux, Prince des Eaux avec lequel t'aurait engendré celle qui t'accompagne, une nuit de sabbat? Je n'en serais pas étonné! D'ailleurs, tu es trop beau pour être une créature humaine, jeune homme!

— Nous nous rendons chez Benjamin et Sarah

William, répondit Cantor qui en avait vu d'autres à Boston avec les savants illuminés. Nous leur amenons leur petite-fille Rose-Ann, fille de John William.

— Hé! Hé! Chez Benjamin William.

Le vieil Anglais se pencha pour examiner, de son œil perçant derrière les verres épais de ses besicles, la fillette en robe rouge que lui désignait le garçon.

— Tu dis que cette enfant-là est la petite-fille de William. Ho! Ho! Voilà qui est plaisant! Nous allons rire.

Il se frotta les mains comme s'il était soudain témoin d'une excellente farce.

— Ho! Ho! Je le vois d'ici.

D'un regard vif et sans en avoir l'air, il avait enregistré les autres personnages : les deux coureurs de bois avec leurs vestes de peaux, frangées à l'indienne, leur ceinture et leur bonnet coloriés de Canadiens, puis derrière eux le soldat de France dans sa tunique déteinte mais reconnaissable.

Il remit son arme sur son épaule bossue et s'écarta du sentier.

— Eh bien! Allez, allez, Français, fit-il, riant toujours à petits coups. Allez, ramenez donc sa petite-fille au vieux Ben. Ho! Ho! Je m'imagine la tête que va faire William! Hé! Hé! Voilà qui est plaisant... Mais ne comptez pas trop sur la rançon, car il est avare...

Angélique avait suivi tant bien que mal le dialogue. Si elle comprenait l'anglais fort intelligible du vieillard, elle ne saisissait à peu près rien à ce qu'il racontait. Heureusement, Cantor gardait un calme olympien.

— Sommes-nous encore loin de Brunschwick? insista-t-il poliment. Nous craignons de nous être égarés.

L'autre balança la tête avec une moue, paraissant dire que lorsqu'on est assez écervelé pour se promener dans la forêt diabolique on doit savoir où l'on va et se débrouiller seul.

Durant cet entretien, un autre personnage avait surgi et s'était approché en silence derrière le vieillard. C'était un grand Indien au regard froid, un Abénakis de la région des Sokokos ou Scheepscots, à en juger par son profil aigu aux deux incisives prononcées. Il portait une lance en main, un arc et un carquois en bandoulière. Il suivait la conversation avec indifférence.

— Ne pourriez-vous vraiment pas nous indiquer le chemin jusqu'à Brunschwick-Falls, respectable vieillard? insista Cantor à bout d'arguments.

A cette requête pourtant formulée avec toute la courtoisie possible, le visage du vieux gnome se transforma, grimaça de colère, et il partit dans un flot de paroles violentes, où Angélique discerna au passage des versets de la Bible, des malédictions, des prophéties, des accusations, et des phrases entières de latin et de grec, d'où il ressortait que les gens de Brunschwick — Newehewannik pour les Indiens — étaient fous, ignares, incroyants et possédés du démon, il ne remettrait jamais, lui George Shapleigh, les pieds dans leur patelin.

Cantor continua d'insister avec la candeur de la jeunesse. L'aïeul se calma peu à peu, bougonna, lança encore quelques anathèmes conjurateurs, puis,

80

tournant le dos, se mit à marcher devant eux dans le sentier, tandis que son Indien se plaçait, toujours silencieux et impassible, derrière la caravane.

— Dois-je comprendre que ce vieux fou de Yenngli se décide à nous montrer la route? grommela Maupertuis.

— Il semblerait, émit Cantor. Suivons-le! Nous verrons bien où il nous mène.

— Offre-lui de prendre place sur une de nos montures, dit Angélique. Il est peut-être fatigué.

Cantor transmit la proposition de sa mère, mais le vieil Anglais, sans se retourner, fit des gestes véhéments qui signifiaient clairement qu'on l'offensait et que d'ailleurs, pour lui, les chevaux étaient bien entendu *aussi* des créatures du Diable.

Il marchait comme en sautillant et avec rapidité et, ce qui était surprenant, c'est que, malgré ses gros souliers, il ne faisait aucun bruit et paraissait à peine effleurer le sol.

— C'est un vieux « medecin's man », expliqua Cantor, qui prétend avoir parcouru toutes les forêts d'Amérique à la recherche de plantes et d'écorces pour ses médecines. Cela suffirait à expliquer la suspicion dans laquelle doivent le tenir ses compatriotes. En Nouvelle-Angleterre, on n'aime guère ceux qui vont aux bois, comme il vous l'expliquait lui-même tout à l'heure... Il n'empêche que tout original qu'il est, je crois qu'on peut se fier à lui pour nous montrer la bonne route.

— Je ne veux pas aller chez les Anglais et je

n'aime pas marcher avec un Indien que je ne connais pas sur mes talons, se plaignit dans la pénombre la voix du soldat Adhémar.

Chaque fois qu'il se retournait, il voyait cette face de pierre sombre et ces yeux d'eau noire qui le fixaient. Des sueurs froides mouillaient sa chemise, qui avait déjà été trempée par bien des sueurs d'angoisse. Il fallait avancer en butant contre les racines.

Le petit homme au chapeau pointu continuait de les précéder en sautillant comme un elfe sombre, un feu follet qui aurait porté tenue de deuil et par instants disparaissait lorsqu'il entrait dans l'ombre, puis reparaissait dans un rai de soleil rougeâtre, glissant entre les troncs. Parmi tous ces tours et détours, Angélique voyait avec impatience que la nuit tombait.

Un soir violet se répandait au creux des ravines.

Tout en marchant, le vieillard, à certains moments, tournait sur lui-même en murmurant des paroles indistinctes, et ses bras levés, ses doigts déliés et maigres paraissaient désigner on ne sait quoi dans les airs.

— Je me demande s'il n'est pas complètement fou et s'il sait où il nous mène, finit par dire Maupertuis, mal à l'aise. Ces Anglais!...

— Oh! qu'il nous mène n'importe où, mais que l'on sorte de cette forêt, dit Angélique, à bout de patience.

Presque aussitôt, comme pour obéir à son vœu, ils débouchèrent sur un vaste plateau d'herbe verte entrecoupée de rochers et de bouquets de genévriers. Çà et là, un cèdre battu par le vent, un

82

bouquet de sapins noirs se dressaient en sentinelles. Loin, fort loin par-delà un amoncellement de collines forestières et de vallonnements, le ciel à l'orient était d'un blanc de nacre, un ciel que l'on devinait suspendu au-dessus de la mer. C'était loin. Une promesse. Mais le vent qui passait sur ce plateau apportait une odeur familière, indéfinissable, encore pleine de souvenirs.

Le temps de serpenter entre les roches et les buissons, et ils redescendirent dans un vallon déjà rempli de nuit où ne subsistait aucune lumière. L'autre versant se dressait devant eux en une côte arrondie qui bombait plus haut sa crête noire sur le ciel pâle. De là venait l'odeur oubliée. L'odeur puissante et familière *d'un champ labouré.*

On ne voyait rien dans l'ombre épaisse. On devinait seulement la terre grasse et humide exhalant le parfum de printemps, les sillons ouverts tranchés par le soc.

Le vieux Shapleigh se mit à marmonner et à ricaner.

— C'est bien cela! Roger Slougton est encore dans son champ. Ah! s'il pouvait supprimer la nuit, supprimer les étoiles, supprimer le sommeil qui s'appesantit sur ses paupières, ah! comme il serait heureux, Roger Slougton. Il ne connaîtrait jamais un moment de repos. Il se démènerait sans cesse, creuserait, gratterait, piocherait pour l'éternité, sans jamais s'arrêter. Sans jamais s'arrêter, sa fourche virevolterait comme celle du Diable au fond de l'Enfer, éternellement, éternellement.

— La fourche du Diable est stérile et la mienne

ne l'est pas, vieux malotru, répondit d'une voix caverneuse la voix du champ labouré. De la pointe de sa fourche, le Diable ne manie que la lie des âmes; moi, je fais surgir les fruits de la terre que le Seigneur bénit...

Une ombre, mal discernable, se rapprocha.

— Et, à cette tâche, je ne consacrerai jamais assez d'heures de ma vie, continuait la voix sur le ton de l'homélie; il n'en est pas pour moi comme pour toi, vieux sorcier, qui ne crains pas de salir ton esprit au contact de la sauvagerie la plus désordonnée de la nature. Holà! holà! Qui nous amènes-tu ce soir, esprit des ténèbres? Qui nous amènes-tu de ces contrées maudites?

Le paysan qui s'approchait s'arrêtait, tendait le cou.

— Ça pue le Français et l'Indien par là, grogna-t-il. Halte, n'avancez point!

On devinait son geste d'épauler une arme. A tout ce monologue, Shapleigh n'avait répondu que par un chapelet de ricanements, comme s'il s'amusait beaucoup. Les chevaux bronchaient, alertés par cette voix grondante qui sortait de la nuit. Cantor exhiba son meilleur anglais pour saluer le laboureur, annonça la petite Rose-Ann William et, sans chercher à dissimuler leur qualité de Français, s'empressa de nommer son père : le comte de Peyrac, de Gouldsboro.

— Si vous avez quelques relations à Boston ou sur la baie de Casco, vous n'êtes pas sans avoir entendu parler du comte de Peyrac, de Gouldsboro. Il a fait construire plusieurs navires dans les chantiers de Nouvelle-Angleterre.

Dédaignant de répondre, le paysan se rapprocha,

tourna autour d'eux, les flairant comme un chien soupçonneux.

— Encore ta vilaine bête de Peau-Rouge que tu traînes avec toi, fit-il s'adressant toujours au vieux « medecin's man ». Mieux vaut introduire une nuée de serpents dans un village qu'un seul Indien!

— Il y entrera avec moi, fit le vieux, agressif.

— Et nous nous réveillerons demain tous morts et scalpés par ces traîtres comme c'est arrivé aux colons de Wells, où ils avaient offert l'hospitalité à une pauvre Indienne, un soir de tempête. Elle a guidé ses fils et pétits-fils à la peau rouge, leur a ouvert la porte du fort et les Blancs ont tous été massacrés. Car, dit l'Eternel, « vous ne devrez jamais oublier que le pays dans lequel vous entrez pour le posséder est un pays souillé par les impuretés des peuples de ces contrées... Ne donnez donc point vos filles à leurs fils et ne prenez point leurs filles pour vos fils, et n'ayez jamais souci ni de leur prospérité ni de leur bien-être, et ainsi vous deviendrez forts... ». Mais toi, Shapleigh, tu t'affaiblis tous les jours à fréquenter ces Indiens...

Sur cette âpre citation biblique, le silence retomba et, au bout d'un moment, Angélique se rendit compte qu'enfin l'habitant de Brunschwick-Falls paraissait décidé à leur laisser le passage.

Il prit même la tête du petit groupe et commença de monter la côte devant eux. A mesure qu'ils émergeaient du ravin, ils retrouvaient la clarté d'un crépuscule de printemps long à s'éteindre. Une bouffée de vent leur apporta une odeur d'étable, des bruits encore lointains de bétail rentrant des pâtures.

2

Et tout à coup, sur le ciel doré, traversé de grandes écharpes rousses, le dessin d'une grande ferme anglaise apparut.

Elle était solitaire encore, et l'œil allumé d'une fenêtre semblait guetter le vallon obscur d'où ils émergeaient.

Lorsque les voyageurs approchèrent, ils distinguèrent des barrières qui parquaient des moutons.

C'était une bergerie. On y faisait la tonte. On y faisait des fromages aussi. Des hommes et des femmes se retournèrent et suivirent des yeux les trois chevaux amenant des étrangers.

Plus ils avançaient le long de l'allée, plus ils rejoignaient la clarté vers le couchant.

A un détour, le village se découvrit tout entier avec ses maisons de bois s'étageant sur le flanc d'une colline couronnée d'ormes et d'érables.

Elles dominaient une combe herbeuse où courait un ruisseau.

Des lavandières en revenaient, leurs paniers d'osier chargés de linge sur la tête. Leurs robes de toile bleue claquaient au vent.

Au delà du ruisseau, des prairies remontaient

en pente douce jusqu'à la forêt aux troncs serrés.

Le sentier devint rue et, après une légère descente, remonta entre les maisons et les jardinets.

Des chandelles allumées derrière les vitres ou les carreaux de parchemin faisaient briller çà et là dans la lumière de cristal du soir des étoiles d'une autre lumière plus vive prenant le relais du jour et piquetant tout ce tableau paisible d'un chatoiement de pierre précieuse.

Pourtant, sans qu'on sût par quel truchement, lorsqu'ils firent halte à l'autre bout du village devant une importante demeure à pignons et encorbellements, à peu près tous les habitants de Brunschwick-Falls se trouvèrent rassemblés derrière leurs dos, bouche bée et les yeux écarquillés. On ne voyait plus qu'un moutonnement de vêtements bleus ou noirs, de visages éberlués, de coiffes blanches et de chapeaux pointus.

Lorsque Angélique descendit de cheval et salua à la ronde, il y eut un murmure indistinct, un recul effaré, mais, lorsque Maupertuis, s'approchant, enleva la petite Rose-Ann pour la déposer à terre, le murmure cette fois monta comme le bruit de la houle, et un grondement de stupéfaction, d'indignation, de protestations s'enfla, chacun s'interpellant et s'interrogeant à mi-voix.

— Qu'est-ce que j'ai fait? dit Maupertuis stupéfait. Ce n'est pas la première fois qu'ils voient un Canadien, non? Et puis, on est en paix, il me semble!

Le vieux médecin frétillait comme un gardon jeté sur le sable.

— *It's hier! It's hier!* répétait-il avec impatience en désignant la porte de la grande demeure.

Il jubilait.

Il monta le premier les marches d'un perron de bois et poussa énergiquement le vantail.

— Benjamin et Sarah William! Je vous amène votre petite-fille Rose-Ann de Biddeford-Sébago et les Français qui l'ont capturée, cria-t-il de sa voix aigre et triomphante.

Le temps d'un éclair, Angélique entrevit dans le fond de la pièce un âtre de briques que garnissaient de nombreux ustensiles de cuivre et d'étain, deux vieillards, un homme et une femme de chaque côté de cet âtre, vêtus de noir et hiératiques comme des portraits avec la même fraise blanche empesée, et chez la femme une coiffe de dentelle imposante, tous deux assis très droits dans des fauteuils à haut dossier ouvragé. Sur les genoux du vieillard était posé un énorme livre, une Bible sans doute, et la femme filait une quenouille de lin.

Près d'eux, à leurs pieds, des enfants assis et des servantes en bleu, occupées à tourner leurs rouets.

Vision rapide car au seul nom de Français les deux personnages se dressèrent, Bible et quenouille roulèrent à terre sans ménagement, et, avec une vivacité de mouvements surprenante, ils décrochèrent deux fusils au-dessus de l'âtre; apparemment chargés et prêts à tirer, ils les pointaient aussitôt vers les arrivants.

Shapleigh ricanait de plus belle et se frottait les mains.

Mais presque aussitôt, la vue d'Angélique poussant devant elle la fillette parut causer aux deux vieillards un atterrement sans nom, une impression encore plus terrifiante que celle des Français, au point que leurs mains tremblèrent et que les armes semblèrent soudain trop lourdes à leurs bras vieillis... Les canons s'abaissèrent lentement comme sous le coup d'une stupeur accablante.

— Oh! *God! God!*... murmurèrent les lèvres pâles de la vieille dame.

— Oh! Lord! s'écria son mari.

Angélique esquissait une révérence et, les priant de l'excuser pour son anglais imparfait, elle leur exprima sa joie de pouvoir remettre saine et sauve entre les mains de ses grands-parents une enfant qui avait couru de grands dangers.

— C'est votre petite-fille Rose-Ann, insista-t-elle, car il lui semblait qu'ils n'avaient pas encore compris. Ne voulez-vous pas l'embrasser?

Sans se dérider, Benjamain et Sarah William abaissèrent sur la fillette un regard assombri, puis poussèrent ensemble un profond et commun soupir.

— Si fait, déclara enfin le vieux Ben, si fait, nous voyons bien que c'est Rose-Ann et nous voulons bien l'embrasser mais, auparavant, il faut... IL FAUT qu'elle enlève cette infâme robe rouge.

— Vous auriez aussi bien pu l'amener toute nue, avec les cornes du Diable dans les cheveux, glissa un peu plus tard Cantor à sa mère.

Consciente de sa méprise, Angélique s'adressait des reproches.

— Que n'aurais-je pas entendu si j'avais eu le temps de coudre les nœuds dorés au corsage de cette robe rouge...

— On en frémit, dit Cantor.

— Toi qui as vécu en Nouvelle-Angleterre, tu aurais dû m'avertir. Je ne me serais pas abîmé les doigts à lui confectionner un vêtement de fête pour son retour parmi d'aussi puritaines personnes.

— Pardonnez-moi, ma mère... Nous aurions pu aussi bien tomber sur une secte moins intolérante. Car il en existe. Et puis, je me disais que, dans le cas contraire, je m'amuserais de la tête qu'ils feraient.

— Tu es aussi taquin que ce vieux bonhomme d'apothicaire, dont ils ont l'air de se méfier comme de la peste. Lui aussi, je ne serais pas étonnée qu'en voyant la robe rouge de Rose-Ann il se soit réjoui à l'avance de les mystifier. C'est sans doute ce qui l'a décidé à nous montrer le chemin.

On les avait introduits ainsi que leur malencontreuse pupille Rose-Ann dans une sorte de parloir attenant à la grande salle. Sans doute pour soustraire plus rapidement à la vue du peuple béat la petite-fille de Benjamin et Sarah William vêtue d'une telle livrée folle et infamante, ainsi que la femme qui l'avait amenée et dont les atours voyants et inconvenants ne révélaient que trop à quelle race et à quelle religion dévoyées elle appartenait : les Français et le papisme!

Etres bizarres que ces puritains dont on pouvait se demander s'ils avaient un cœur... ou un sexe. Quand on découvrait la froideur de leurs relations familiales, il semblait inconcevable qu'un acte d'amour quelconque eût pu présider à l'établissement de cette même famille. Pourtant, la descendance de Mr et Mrs William était nombreuse. Il y avait pour le moins deux ménages et leurs enfants installés dans la grande maison de Brunschwick-Falls. Angélique s'était étonnée que personne ne parût s'intéresser au sort des William juniors emmenés captifs au Canada par les sauvages.

L'annonce que sa belle-fille avait accouché misérablement dans la forêt indienne, et qu'elle avait, de ce fait, un autre petit-enfant, laissa Mrs William de glace. Et son mari entama un long sermon comme quoi John et Margaret avaient été justement punis de leur indocilité.

Que n'étaient-ils demeurés à Biddeford-Saco, sur la mer, une colonie solide et pieuse, au lieu de se croire, dans leur orgueil, oints par le Seigneur et désignés pour aller fonder leur propre établissement dans des solitudes dangereuses autant pour l'âme que pour le corps, et d'avoir encore l'audace de baptiser ce nouvel endroit, fruit de l'orgueil et de l'indiscipline, du même nom de Biddeford-le-Pieux, où ils avaient vu le jour? D'ailleurs, maintenant, ils étaient en Canada et c'était bien fait pour eux. Lui, Ben William, avait toujours pensé que John, son fils, n'avait pas l'étoffe d'un conducteur de peuples.

Il rejeta de la main les précisions qu'essayait de donner Cantor au sujet des captifs.

Les détails de leur enlèvement, il les avait eus par Darwin, le mari de la sœur de leur bru. Un garçon qui n'avait pas d'envergure et qui allait bientôt se remarier. « Mais sa femme n'est pas morte, essaya d'expliquer Angélique... du moins elle ne l'était pas la dernière fois que je l'ai vue à Wapassou... »

Benjamin William n'écouta point. Pour lui, tout ce qui était au delà des grands bois vers le nord, vers ces régions lointaines, inaccessibles, où des Français possédés aiguisaient leurs couteaux à scalper dans des vapeurs d'encens, tout cela, c'était déjà l'Autre Monde, et en fait bien peu d'Anglais ou d'Anglaises en étaient jamais revenus!

— Sois franc pour une fois, dit Angélique à son fils. Y a-t-il aussi quelque chose dans ma tenue qui puisse les indisposer? Suis-je, à mon insu, indécente?

— Vous devriez mettre quelque chose LÀ, dit Cantor d'un ton doctoral, en désignant le haut décolleté du corsage d'Angélique.

Ils riaient tous deux comme des enfants sous l'œil morne de la pauvre Rose-Ann, lorsque les servantes en robes bleues entrèrent portant une bassine de bois cerclé de cuivre et de nombreux pichets d'où s'échappait une vapeur d'eau bouillante. Un grand jeune homme, sérieux comme un pasteur, vint chercher Cantor qui le suivit en affichant à son tour la même expression gourmée et soucieuse que démentaient leurs joues fraîches d'adolescents.

En revanche, les servantes, d'accortes filles au teint coloré par l'air des champs, paraissaient d'humeur moins guindée. Dès qu'elles n'étaient plus sous l'œil sévère du vieux maître, elles souriaient volontiers et leurs regards, détaillant Angélique, pétillaient d'animation. C'était un événement prodigieux que l'arrivée de cette grande dame française. Elles examinaient chaque pièce de son habillement pourtant bien modeste et suivaient chacun de ses gestes. Ce qui ne les empêchait pas de se montrer fort actives, apportant une pâte de savon dans un bol de bois, présentant des serviettes tiédies devant le feu.

Angélique s'occupa tout d'abord de l'enfant. Elle ne s'étonnait plus que la petite Anglaise lui ait paru parfois un peu abrutie, quand on voyait d'où elle venait. Il fallait se remettre dans l'atmosphère de La Rochelle... en bien pire!

Pourtant, lorsque, au moment de la rhabiller, Angélique voulut lui passer la robe sombre préparée pour elle, la timide enfant se révolta. Son séjour chez les Français ne lui valait décidément rien. Si peu de temps qu'elle eût passé parmi eux, elle s'y était perdue à jamais, aurait constaté le révérend pasteur. Car on la vit soudain repousser avec violence la triste vêture présentée et, se tournant vers Angélique, elle blottit la tête contre son sein et éclata en sanglots.

— Je veux garder ma belle robe rouge! s'écria t-elle.

Et pour bien affirmer d'où lui venait cette humeur rebelle, elle répéta sa phrase plusieurs fois en français, ce qui eut le don d'atterrer les servantes. Cette langue impie dans la bouche d'une William, ces manifestations sans pudeur de colère et d'entêtement, cette coquetterie avouée, tout cela était terriblement déconcertant, n'annonçait rien de bon...

— Jamais mistress William ne consentira, dit l'une d'elles, hésitante.

4

Très droite, très haute, très mince, hiératique, imposante, la vieille Sarah William laissa tomber un regard lourd sur sa petite-fille et par la même occasion sur Angélique.

On était allé chercher l'aïeule pour trancher le débat, et apparemment celui-ci ne pourrait l'être que par le sacrifice total.

Nul n'évoquait mieux l'idée de la Justice et du Renoncement que cette grande Sarah, très impressionnante vue de près, dans ses vêtements sombres, le cou haut soutenu par sa fraise tuyautée.

Elle avait des paupières immenses, pesantes, bleutées, voilant des yeux un peu saillants dont le feu noir éclatait par instants dans un visage très pâle, mais dont les courbes usées avaient une sorte de majesté.

On ne pouvait oublier, en regardant ses mains maigres et diaphanes jointes l'une sur l'autre dans un geste pieux, la promptitude avec laquelle ces mêmes mains pouvaient encore saisir une arme.

Angélique caressait les cheveux de Rose-Ann qui ne se calmait pas.

— C'est une enfant, plaida-t-elle en regardant l'intraitable dame, les enfants aiment naturellement ce qui est vif à l'œil, ce qui est joyeux, ce qui a de la grâce...

C'est alors qu'elle remarqua que les cheveux de Mrs William étaient coiffés d'un ravissant bonnet en dentelle des Flandres. Un de ces objets pour le moins diaboliques et entraînant à la perversion de la vanité qu'avait dénoncés tout à l'heure le vieux Ben.

Baissant ses longues paupières, Mrs William parut méditer. Puis elle donna un ordre bref à l'une des filles qui revint, portant un vêtement 'blanc et plié. Angélique vit que c'était un devantier de toile, à large bavette.

D'un geste, Mrs William indiqua que Rose-Ann pouvait remettre la robe incriminée à condition d'en voiler partiellement la splendeur agressive avec le tablier.

Puis, tournée vers Angélique, elle eut un clin d'œil de connivence, tandis qu'une ombre de sourire narquois glissait sur ses lèvres sévères.

Ces concessions mutuelles ayant été consenties, les William et leurs hôtes se retrouvèrent autour de la table, servie pour le repas du soir.

Maupertuis et son fils avaient fait porter l'annonce qu'ils étaient reçus par un membre de la communauté avec lequel ils avaient traité naguère certaines affaires de fourrures au cours d'un voyage à Salem.

Adhémar errait comme une âme en peine par les sentiers herbeux de la colonie suivi d'une nuée de petits puritains curieux qui de temps en temps touchaient d'un doigt effrayé son uniforme bleu de soldat du roi de France et son mousquet pendu au bout de son bras découragé.

— La forêt est pleine de sauvages, gémissait-il, je les sens autour de nous.

Angélique vint le chercher.

— Mais voyons, Adhémar, nous n'avons pas rencontré âme qui vive de la journée! Venez donc vous restaurer.

— Moi, m'asseoir au milieu de ces hérétiques, qui haïssent la Vierge Marie? Ça, jamais!...

Il resta devant la porte, écrasant les moustiques sur ses joues et supputant les malheurs qui le guettaient partout dans cet horrible pays : soit les sauvages, soit les Anglais... Il en était arrivé à se sentir plus en sécurité près d'une personne que certains soupçonnaient d'être un esprit diabolique, mais qui avait au moins le mérite d'être française. Et elle lui parlait avec gentillesse et patience cette dame qu'on disait Démone, au lieu de le bousculer. Soit, il monterait la garde pour la défendre puisque aussi bien les recruteurs du roi avaient fait de lui un soldat et lui avaient mis un mousquet dans la main.

Devant Angélique, on avait posé un bol de lait tiède où flottait un œuf battu. Ce mets simple, à la saveur presque oubliée, l'emplit de joie. Il y avait de la dinde bouillie accompagnée d'une sauce fortement parfumée de menthe qui en relevait la fadeur et du maïs en grains. Puis l'on apporta une tourte dont le couvercle de pâte laissait échapper la vapeur parfumée d'une compote de myrtilles.

Pour les Anglais, savoir que le comte de Peyrac et sa famille avaient vécu sur le haut Kennebec, à plus de quatre cents milles de la mer, cela les mettait en transe. Certes, c'étaient des Français, mais l'exploit demeurait, surtout pour les femmes et les enfants, inhabituel.

— Est-ce vrai que vous avez dû manger vos chevaux? insistaient-ils.

Les jeunes surtout s'intéressaient à ce gentilhomme français, ami et délégué de la baie du Massachusetts. Quels étaient ses projets? Etait-ce vrai qu'il cherchait à contracter une alliance avec les Indiens et les Français, ses compatriotes, pour éviter les raids meurtriers sur la Nouvelle-Angleterre?

Le vieux Benjamin, lui, ne faisait pas chorus. Il avait certes entendu parler du comte de Peyrac, mais il préférait ne pas s'appesantir sur ces présences diverses de toutes nations qui prétendaient, aujourd'hui, peupler le Maine.

N'était-ce pas assez qu'on ne sût plus où mettre les pieds sur les côtes du Massachusetts? Il n'aimait pas penser qu'il existait d'autres personnes sur terre que les membres de sa petite tribu.

Il aurait voulu être SEUL avec les siens, à l'aube du monde, ou comme Noé sortant de l'Arche.

Il avait toujours fui vers des lieux déserts, toujours essayé d'imaginer qu'ils étaient seuls à pouvoir louer le Créateur, « le petit troupeau bien-aimé voulu par Dieu pour sa plus grande gloire », mais toujours le monde le rejoignait et lui rappelait que le Créateur devait partager ses bontés avec on ne sait combien d'inintéressantes et ingrates populations.

Angélique, qui devinait sans peine, rien qu'à le regarder — grand nez audacieux, fureteur, au-dessus de la barbe blanche, regards intolérants — la vie errante du Patriarche, conducteur de peuples, se demandait pourquoi il en voulait si fort à son fils d'avoir suivi l'exemple de l'indépendance paternelle en allant s'installer de Biddeford-Sébago. Mais c'était là un des mystères habituels des relations entre père et fils depuis que le monde est monde. Les travers du genre humain perçaient sous les carapaces dures et saintes, et Angélique sentait naître à l'égard de ces intraitables honnêtes gens une sympathie attendrie.

Réconfortée par l'excellence du repas, une certaine chaleur communautaire qui liait ces personnages à sombres vêtements et principes lui était perceptible.

Une fois les principes édictés et affirmés hautement, les sentiments plus humains reprenaient leurs droits.

Rose-Ann avait gardé sa robe rouge et elle, Angélique, la Française et la papiste, n'en était pas moins honorée à la table de famille.

La présence de Cantor intriguait. Ni de là ni d'ailleurs, cet adolescent aux yeux clairs.

Pour son excellent anglais, sa connaissance de Boston, on l'adoptait à l'unanimité. Puis, se souvenant que lui aussi était français et papiste, on avait un recul. Tous les hommes présents, le vieux Benjamin et ses fils et gendres, l'examinaient avec intérêt sous leurs sourcils bourrus, l'interrogeaient, le faisaient parler, méditaient chacune de ses réponses.

Vers la fin du repas, la porte s'ouvrit sur un homme ventru et bâti en colosse dont l'apparition introduisit comme un courant d'air glacé dans l'atmosphère joviale et intime qui s'était peu à peu établie.

Les deux aïeux affichèrent aussitôt leur masque le plus rigide.

C'était le révérend Thomas Patridge. La complexion qui l'avait fait naître sanguin et de souche irlandaise, ajoutant pour lui aux difficultés qu'a toute créature terrestre de se maintenir dans les vertus de douceur, d'humilité et de chasteté, il n'avait pu atteindre à la rectitude morale qui en faisait l'un des plus grands ministres de son temps que par une culture vaste et pointilleuse, une dénonciation constante des péchés des autres, et par l'éclatement fréquent — tel un jet de vapeur fusant du couvercle de la marmite — de saintes et tonitruantes colères.

A part cela, il avait lu Cicéron, Térence, Ovide et Virgile, parlait le latin, savait l'hébreu.

Il jeta sur l'assemblée un regard sombre, s'attarda sur Angélique avec une sorte de saisissement feint comme si réellement sa vue eût dépassé le pire prévisible, effleura avec mépris et tristesse Rose-Ann qui se barbouillait de myrtilles sans remords, puis il se drapa dans sa large et longue cape genevoise, comme s'il avait voulu se défendre et s'isoler de tant de turpitudes.

— Ainsi donc, Ben, fit-il d'une voix caverneuse, la sagesse ne te vient pas avec la vieillesse — introducteur jésuitique et papiste, tu oses faire asseoir à ta table l'image même de celle qui a précipité le genre humain dans la détresse la plus grande. Eve parée de son inconscience et de ses séductions tentatrices! Tu oses accueillir au sein de ta pieuse famille une enfant qui ne peut y apporter désormais que la honte et le désordre. Tu oses enfin recevoir celui qui a rencontré l'Homme Noir dans la forêt et signé de son sang le livre infâme tendu par Satan lui-même, d'où l'impunité avec laquelle il peut parcourir les sentiers païens, mais qui devrait lui interdire à jamais le seuil d'une maison sainte...

— Est-ce pour moi que vous parlez, pasteur? interrompit le vieux Shapleigh en relevant le nez de son écuelle.

— Oui, *pour toi*, insensé! tonna le révérend, qui, sans souci du salut de ton âme, oses te mêler de Magie pour satisfaire d'infâmes curiosités.

» Pour moi que le Seigneur a nanti d'une vue spirituelle qui plonge dans le secret des consciences, je vois sans peine briller dans ton œil l'étincelle diabolique qui...

— Et moi, pasteur, je vois sans peine dans votre œil tout injecté de sang, d'un sang qui pour n'être pas infernal n'en est pas moins épais et dangereux pour votre santé, que vous risquez un beau jour de vous trouver coi par l'effet d'un transport virulent des humeurs...

Le vieux « medecin's man » se leva et marcha d'un air patelin vers l'emporté ministre. Il l'obligea à se pencher, lui examina le blanc des yeux.

— Je ne vous obligerai pas à la lancette, lui dit-il. Avec vous, ce serait un travail à recommencer sans cesse. Mais j'ai dans ma besace quelques herbes dénichées grâce à mon infâme curiosité et dont le traitement bien suivi vous permettra de vous mettre en colère, sans risques, autant de fois que vous en ressentirez le besoin.

» Allez vous mettre au lit, pasteur, je vais vous soigner. Et pour écarter les démons je brûlerai de la coriandre et des graines de fenouil.

La mercuriale du pasteur en resta là pour ce soir.

5

Les rudes solives exhalaient une odeur de miel. Il y avait quelques bouquets de fleurs séchées accrochés dans leurs recoins.

Angélique se réveilla une première fois dans la nuit. Le cri de l'engoulevent emplissait l'ombre piquetée d'étoiles lointaines. Son appel continu sur deux notes rappelait un rouet de fileuse, tantôt proche, tantôt s'effaçant. Angélique se leva et, appuyée des deux mains au rebord de la fenêtre, guetta vers la forêt. Les Anglais de Nouvelle-Angleterre racontent que l'engoulevent répète, sur ses deux tonalités monotones : « Pleure! Pleure, pauvre Guillaume! »

C'est depuis que Guillaume a trouvé sa femme

et ses enfants massacrés. Il avait entendu la nuit précédente le cri de l'engoulevent. Or, ce cri était lancé par les Indiens cachés dans le taillis qui se ralliaient en se rapprochant de la cabane du colon blanc.

Subitement, le cri cessa... Une ombre passa contre le ciel nocturne. Deux grandes ailes aiguës, une longue queue arrondie, un vol mou et silencieux coupé de brusques zigzags et d'un seul œil rouge phosphorescent. L'engoulevent chassait.

Un grésillement puissant du chant de mille sauterelles, grillons, criquets, grenouilles, accompagnait la nuit, avec le fumet fauve des bêtes des bois soufflé de la forêt, avec la senteur de la fraise des bois et l'odeur du thym, chassant les relents d'étable et de la boue.

Angélique se recoucha dans le haut lit de chêne aux colonnes torsadées soutenant une alcôve dont les rideaux d'indienne étaient tirés par la chaleur de cette nuit de juin.

Les draps de lin, tissés par les mains de Sarah William, avaient le même parfum frais et fleuri que la chambre.

On avait extrait de dessous le lit un cadre de bois avec des sangles sur lesquelles on jetait une paillasse. Le lit de l'enfant à l'abri de celui des parents. Rose-Ann y reposait encore cette dernière nuit.

Angélique retrouva le sommeil presque aussitôt.

Lorsqu'elle ouvrit les yeux de nouveau, le ciel était réséda au-dessus de la frise sombre et harmonieuse des ormes sur la colline, et le chant de la grive-ermite, d'une solennelle douceur, avait remplacé celui, plaintif, de l'engoulevent. Le parfum des jardinets et celui des lilas contre les murs de bardeaux chassaient les effluves nocturnes et forestiers.

Courges et citrouilles, au pied des maisons, dans l'herbe, à l'abri de leurs feuilles festonnées, brillaient comme des émaux sous l'abondante rosée matinale.

Le parfum des lilas, dans les jardinets ou contre les murs de bardeaux, avait une nouvelle fraîcheur dans l'air imprégné de rosée.

Derechef, Angélique s'accouda à la petite fenêtre. Les silhouettes biscornues des maisons de bois sortaient une à une des brumes matinales, avec leurs toits en croupe aux pans rompus ou inégaux, certain côté descendant jusqu'au sol ou peu s'en faut, « boîtes à sel », avec leurs pignons, leurs étages en encorbellement, leur cheminée de briques plantée en plein milieu de l'arête du toit, larges et solides, à la façon des manoirs élisabéthains. La plupart bâties dans le pin blanc, ces demeures prenaient des reflets argentés sous la lumière montante.

Certaines granges étaient de rondins, coiffées de paille, mais l'ensemble du village respirait une harmonie cossue.

Des chandelles s'allumaient derrière les petits carreaux en losange sertis de plomb des fenêtres sans volets. Tout un confort venu du soin, de l'attention que l'on porte à la vie, et au temps précieux que rien ne doit gâcher, se révélait. La vie d'un établissement dans ces vallées isolées n'était-elle pas faite de détails infimes et nécessaires? Ainsi les jardins chatoyants devaient partout surgir, moins pour le plaisir de l'âme et des yeux que pour contenir à profusion plantes médicinales, potagères et aromatiques.

Angélique, surprise, séduite, s'interrogeait sur cette race d'Anglais habitués à ne compter que sur eux-mêmes et qui commençaient de s'éveiller avec des invocations aux lèvres, êtres si différents de ceux qu'elle avait coutume de côtoyer. Poussés vers l'Amérique par le goût farouche et inaltérable de prier à leur façon, et la nécessité de trouver un bout de terre pour ce faire, ils emportaient avec eux un Dieu à leur image qui défendait les spectacles, la musique, les cartes et les robes écarlates, tout ce qui n'était pas le Travail et le Prêche.

C'est dans la rectitude du travail bien fait et productif qu'ils puisaient l'exaltation de la saveur de vivre. Le sentiment de la perfection leur tenait lieu de jouissance et la douceur du home de sensualité.

Mais le doute et l'inquiétude ne cessaient de brûler en eux comme la chandelle allumée dans la maison d'un mort. Le pays, le climat y aidaient. Elevés sur des rivages déserts entre les appels dolents de la mer et du vent et les senteurs païennes de la forêt, les prêches terrifiants de leurs pasteurs les maintenaient dans une vulnérabilité pathétique.

Leur théologie ayant supprimé les saints et les anges, il ne leur restait plus que les démons. Ils en voyaient partout. Ils en connaissaient toutes les hiérarchies, depuis les petits génies aux ongles aigus qui percent les sacs de graines jusqu'aux principautés redoutables, couronnées de noms cabalistiques.

Et pourtant la beauté du pays où l'Eternel les avait conduits plaidait pour les Anges.

Ainsi écartelés entre la douceur et la violence, le lilas et la ronce, l'ambition et le renoncement, ils n'avaient le droit de vivre que dans la préoccupation constante de leur mort.

Encore n'en étaient-ils pas assez imprégnés, estimait le révérend Patridge.

Et cela se fit sentir de façon éclatante dans son sermon de ce dimanche-là.

Angélique, penchée à la fenêtre, s'était étonnée de voir le jour se lever et s'établir sans aucun remue-ménage. Personne ne sortait des maisons, à part quelques femmes allant chercher de l'eau à la rivière, et elles le faisaient sans hâte.

Or, c'était un dimanche. Un dimanche! Pour les catholiques aussi, comme le lui rappela d'une voix pleurarde Adhémar venu la héler sous ses fenêtres.

— Nous fêtons aujourd'hui saint Antoine de Padoue, madame.

— Qu'il vous fasse retrouver votre tête ou votre courage égaré! rétorqua Angélique, le saint français ayant la réputation d'aider à retrouver les objets perdus.

Le Français ne prit pas la chose en riant.

— C'est une grande fête en Canada, madame. Et moi, au lieu d'être là-bas à suivre une belle procession dans une bonne et sainte ville française, je me trouve ici, aux quatre cents diables, en plein milieu d'hérétiques qui ont crucifié Notre-Seigneur. Je serai puni, pour sûr! Il va arriver quelque chose, je le sens...

— Taisez-vous donc, lui souffla Angélique, et rentrez votre chapelet. La vue de cet objet incommode les protestants.

Mais Adhémar continuait de serrer convulsivement son rosaire et d'implorer en marmonnant à mi-voix la protection de la Sainte Vierge et des Saints, et d'être suivi d'une nuée de petits puritains, toujours muets, et les chaussures particulièrement reluisantes en ce jour, et les yeux écarquillés sous leurs chapeaux ronds ou leurs bonnets noirs.

La venue de ce dimanche, que le groupe des Français avait eu l'inconséquence de ne pas prévoir, contrariait leurs projets de départ.

Tout s'arrêtait. Il n'était pas question de s'agiter à des préparatifs. On eût fort scandalisé la population.

Et le vieux Shapleigh, qui traversa le village, son sac et son tromblon sur l'épaule, et se dirigeant ostensiblement vers la forêt suivi de son Indien, fut escorté de regards noirs, de murmures, et même de gestes menaçants. Il ne s'en souciait pas, toujours ricanant et sardonique. Angélique envia son indépendance.

Le vieillard lui avait inspiré la même confiance que jadis le remarquable Savary. Occupé de *science*, il y avait longtemps qu'il avait rejeté les préjugés de ses coreligionnaires qui eussent pu entraver la satisfaction de sa marotte. Et quand, dans la forêt, il faisait un petit tour de danse sur lui-même en agitant ses doigts pâles et déliés, c'était qu'il venait de discerner quelques fleurs et bourgeons dans les feuillages, qu'il se les désignait, les nommant de leurs noms latins en repérant leur emplacement.

Angélique n'avait-elle pas le même comportement lorsqu'elle partait à la cueillette des « simples » dans les bois de Wapassou?

Le vieux Shapleigh et elle s'étaient reconnus.

Elle déplora de le voir s'éloigner et disparaître, plongeant avec l'Indien dans le ravin ombreux qui conduisait à la rivière Androscoggi.

Une cloche tintait sur la colline. Les fidèles se mirent en marche vers la « meeting-house » fortifiée qui se dressait au sommet du village dans l'encadrement des ormes. La maison de réunion, c'était l'église ici, mais édifice civil autant que religieux.

Bâtie en planches, elle ne se distinguait des autres édifices que par un petit beffroi pointu où se balançait la cloche, et par sa forme carrée. Car c'était en même temps un fortin où, en cas d'irruption indienne, on pouvait se réfugier et qui, à l'étage supérieur, abritait deux couleuvrines dont les gueules noires, surgissant aux meurtrières, encadraient le beffroi, symbole de paix et de prières.

Là, les gens de Brunschwick-Falls, à l'instar des pères de la Nouvelle-Angleterre, venaient tenir leurs assemblées, louer le Seigneur, lire la Bible, régler les affaires de la colonie, admonester et se faire admonester, condamner son voisin et se faire condamner, Dieu étant mêlé d'ailleurs à toutes ces besognes.

Angélique hésitait à suivre l'austère compagnie. Un vieux reste d'éducation catholique lui laissait une gêne à la pensée de pénétrer dans un temple hérétique. Péché mortel, danger incommensurable pour l'âme du fidèle. Réflexes plongeant leurs racines dans l'enfance impressionnable.

— Mettrai-je ma robe rouge? interrogeait la petite Rose-Ann.

Montant vers l'église avec l'enfant, Angélique voyait que les habitants de Brunschwick-Falls semblaient s'être relâchés en l'honneur du Seigneur de leur sévérité vestimentaire.

S'il n'y avait pas d'autres robes rouges comme celle qu'elle avait confectionnée à Rose-Ann, il y avait des robes roses, des robes blanches ou bleues parmi les fillettes. Bonnets de dentelle, rubans de satin, chapeaux à hautes coiffes noires et large bord, ornés d'une boucle d'argent ou d'une plume et que les femmes portaient sur leur coiffe aux petits revers brodés. Une mode anglaise, mais fort gracieuse et pratique et qu'Angélique avait pour sa part adoptée lorsqu'elle avait commencé à pérégriner sur la terre d'Amérique.

Elégance discrète, mais accordée à la sagesse des maisons claires, panachées de lilas, et à la douceur du ciel, couleur de fleur de lin.

C'était un beau dimanche à Newehewanick — la terre du printemps.

Sur le passage d'Angélique, les habitants essayaient un doux sourire et une petite inclinaison de tête. Et, la voyant suivre le sentier de l'église, ils lui emboîtaient le pas, heureux qu'elle fût leur hôte ce matin-là.

Cantor rejoignit sa mère.

— Je sens que nous ne pouvons parler de notre départ. Ce serait malséant, lui dit Angélique. Pourtant, le navire de ton père nous attend à l'embouchure du Kennebec, ce soir, au plus tard demain.

— Peut-être après le prêche pourrons-nous prendre congé?

Aujourd'hui, les bêtes restent dans le pré sous la garde d'un seul berger. Les veaux ont le droit de téter leur mère. On réduit ainsi le travail en supprimant la traite du lait. Et c'est le repos pour tout le monde. J'ai vu tout à l'heure Maupertuis. Il conduisait nos chevaux à la rivière. Il a dit qu'il va les laisser brouter en les surveillant avec son fils, puis il les ramènera vers l'heure de midi. Alors nous prendrons la route, quitte à camper la nuit en forêt.

Sur l'esplanade où ils arrivaient, devant la meeting-house, il y avait un échafaud supportant une sorte de pupitre percé de trois trous, celui du milieu étant le plus grand. Le trou pour la tête, expliqua Cantor, alors que les deux autres retenaient seulement les poignets. C'était le pilori, où l'on exposait les coupables. L'appareil barbare était flanqué d'un écriteau où devaient s'inscrire le nom de l'exposé et les motifs de la condamnation.

Un poteau où l'on fouettait complétait l'équipement judiciaire de la petite colonie puritaine.

Heureusement, ce matin, l'estrade du pilori était vide.

Cependant, le révérend Patridge laissa prévoir dans son sermon qu'il se garnirait peut-être prochainement.

Assise parmi les fidèles immobiles, personnages de cire, Angélique apprit que l'élégance qu'elle avait remarquée aujourd'hui n'était pas due à un désir licite d'honorer le jour du Seigneur, mais à un vent de folie qui semblait souffler soudain sur les ouailles indisciplinées du ministre. Ouragan d'origine étrangère... Il ne fallait pas chercher bien loin l'inspiration de ces désordres puisqu'elle venait tout droit d'une religion semi-orientale dont le dévoiement au cours des siècles avait failli, sous la houlette de chefs voués au démon, entraîner l'humanité tout entière à sa perdition. Suivait une nomenclature historique où les noms de Clément et Alexandre, papes, se mêlaient étroitement à ceux d'Astaroth, d'Asmodée et de Bélial. Angélique comprenait assez bien l'anglais pour discerner que le tonitruant pasteur traitait le pape actuel tour à tour d'Antéchrist et de Belzébuth et trouvait qu'il exagérait quelque peu dans ses transports.

Cela lui rappelait des souvenirs de jeunesse, leurs querelles avec les petits paysans huguenots, et ces fermes hérétiques, en Poitou, qu'on se montrait avec réprobation, séparées des communautés catholiques, avec leurs tombes solitaires près d'un cyprès. Mais une droiture naïve et brutale qui ignorait les fines nuances du tact et n'avait pas le sens du ridicule caractérisait ces bonnes gens.

Thomas Patridge rappelait que les attributs de la gracieuseté sont parmi les plus évanescents et ceux qui disparaissent le plus vite.

Il s'emporta contre les chevelures trop longues, tant chez les hommes que chez les femmes. Trop de brossages, bouclages immodestes. Damnables, idolâtres.

— Berthos! Berthos! clama-t-il.

On se demandait quel démon il invoquait encore, mais ce n'était que le sacristain qu'il rappelait à l'ordre, le chargeant d'aller réveiller un insolent qui s'était endormi malgré ses clameurs.

Berthos, un gnome aux cheveux coupés rond, bondit, armé de sa longue baguette garnie d'un pied-de-biche et d'une plume et vint assener un coup violent sur la tête du dormeur. La plume était là pour remplir le même office près des dames, mais plus délicatement, en la passant sous leur nez si un trop long sermon les inclinait à la somnolence.

— Malheureux! Malheureuses! reprit le ministre d'une voix lugubre, vous me faites songer dans votre inconscience à ces gens de Lariche dont parle la Bible, qui refusaient de s'occuper de leur salut et de leur défense alors que leurs ennemis les Danites aiguisaient leurs couteaux et s'apprêtaient à les égorger. Eux, ils riaient, ils dansaient, ils croyaient qu'ils n'avaient plus d'ennemis au monde, ils ne voulaient pas VOIR ce qui s'annonçait, ne prenaient aucune mesure de prudence.

— Pardon, je proteste, s'écria le vieux Benjamin William en se dressant tout droit, n'allez pas dire que je ne veille pas au salut des miens! J'ai écrit un message au gouvernement du Massachusetts en demandant que Leurs Honneurs veuillent bien nous envoyer huit à dix hommes robustes et alertes pour nous protéger pendant les moissons...

— Trop tard! rugit le ministre, enragé de cette interruption. Lorsque l'âme n'est pas sanctifiée, les précautions des hommes ne servent de rien. Ainsi, je vous prédis : aux moissons vous ne serez plus! Demain peut-être, que dis-je : ce soir même, combien d'entre vous seront morts! Les Indiens sont dans la forêt alentour, prêts à vous égorger! Je les

111

vois, je les entends aiguiser leurs couteaux à scalper. Oui, je vois, je vois briller à leurs mains un sang rouge, le vôtre... et le vôtre, hurla-t-il en tendant un index brusque vers certains qui pâlirent.

L'assistance, cette fois, était pétrifiée de terreur.

Aux côtés d'Angélique, une frêle petite vieille, qui s'appelait Elizabeth Pidgeon et qui s'occupait d'instruire les petites filles de l'endroit, tremblait de tous ses membres.

— Car le rouge n'est pás la couleur de la joie, déclama Thomas Patridge d'une voix lugubre en fixant Angélique, mais c'est la couleur de la calamité, et vous l'avez introduit parmi vous, insensés! Et bientôt vous entendrez la voix du Tout-Puissant résonner dans la nue et vous dire : « Tu as préféré les plaisirs de ce monde à la joie de contempler ma face. Eh bien, va, retire-toi à jamais de moi! » Et vous sombrerez à jamais dans les ténèbres de l'Enfer, dans le gouffre insondable et obscur, à jamais... Jamais, jamais... JAMAIS!

Tout le monde frissonnait. On sortait en hésitant sur l'esplanade ensoleillée, poursuivi par les échos de la voix implacable et caverneuse :

For ever!... For ever!... For EVER!

6

— On en aura entendu parler, de cette robe rouge, maugréa Angélique.

La sérénité d'un repas dominical accompagné des versets de la Bible ne parvenait pas à dissiper le malaise créé par le sermon du pasteur. Après le déjeuner, Angélique s'attarda dans le jardin d'herbes à détailler les espèces plantées, à les écraser entre les doigts afin d'en reconnaître les parfums. L'air surchauffé bourdonnait de la ronde active des abeilles. L'impatience de revoir Joffrey la saisit. Le monde lui semblait vide. Et sa présence à elle dans ce village anglais lui parut bizarre, intolérable, comme lorsqu'en un rêve on commence à se demander ce qu'on fait en tel endroit et à saisir qu'il y a quelque chose de suspect, qui ne s'explique pas.

— Mais que fait donc Maupertuis? cria-t-elle à Cantor. Regarde! Regarde donc! Le soleil décline. Et il n'est pas encore revenu de la forêt avec les chevaux!

— J'y vais, jeta Cantor, qui se dirigea aussitôt d'un pas délié vers l'extrémité du village.

Elle le voyait avancer vers l'écran de verdure qui cernait tout alentour. Elle fut sur le point de le retenir, de lui crier : « Non, n'y va pas, Cantor! Cantor, mon fils, ne va pas dans la forêt... »

Mais il disparut au tournant du chemin qui conduisait à la bergerie, dernière maison du village, avant d'atteindre la forêt.

Elle rentra dans la demeure de Benjamin, monta l'escalier et boucla vivement son sac de cuir, prit ses armes, jeta son manteau sur ses épaules, coiffa son feutre, redescendit. Des servantes, près des fenêtres, assises, ne faisaient rien, rêvaient ou priaient. Elle ne voulut pas troubler leur méditation, passa devant elles et sortit dans la rue herbeuse de la colonie. La petite Rose-Ann courait derrière elle, dans sa robe rouge.

— Oh! ne pas partir, chère dame, murmurat-elle dans son français maladroit en la rejoignant.

— Ma chérie, je *dois* partir maintenant, fit Angélique sans ralentir le pas. Je n'ai que trop tardé. Je ne sais comme le temps passe ici, un dimanche, mais *je devrais* déjà être sur la côte où le navire m'attend... Il se fait si tard, que nous n'y parviendrons pas avant l'aube...

Touchante d'affection et de sollicitude, la petite Anglaise essayait de lui prendre son sac pour le lui porter.

Elles gravirent la côte ensemble et tournèrent un peu avant d'apercevoir les dernières maisons du hameau, les plus petites et les plus pauvres, bâties de rondins et chapeautées d'herbes ou d'écorces, puis au loin la dernière. La grande bergerie.

Auparavant, il y avait encore une grange entreposant du maïs, celle où les Français avaient passé leur nuit et où Adhémar devait, pour l'heure, cuver ses terreurs. Puis le cottage de miss Pidgeon, la maîtresse d'école, entouré d'un fouillis de fleurs. Isolée, à l'écart, la solide bergerie avec son pignon, sa girouette, était une belle demeure au milieu de ses pacages cernés de barrières. Au delà, plongeait le ravin d'où ils étaient montés hier au soir. Quelques champs labourés au versant de la côte, puis l'univers des arbres, des eaux bondissantes et des roches abruptes : la forêt.

Dans le jardin de miss Pidgeon, le buste altier de Mrs William, la grand-mère de Rose-Ann, émergeait des roses trémières dont elle épluchait d'un doigt alerte les pétales fanés. Elle fit un geste d'appel impératif vers Angélique. Celle-ci posa son sac et s'approcha pour prendre congé.

— Voyez ces roses, dit Mrs William. Doivent-elles souffrir parce que c'est le jour du Seigneur? J'ai eu encore droit à la semonce de notre révérend. Mais je l'ai fait taire. Nous avons eu notre compte pour aujourd'hui...

D'un geste de l'index ganté d'un doigtier de cuir, elle indiquait la maisonnette derrière elle.

— Il est là, à entretenir Elizabeth de ses fins dernières, la pauvre créature!

Elle reprit d'une main alerte sa besogne. Son œil aigu sous la lourde paupière mauve vira encore, vrilla, tandis qu'un coin de ses lèvres maussades, se relevait dans une sorte de demi-sourire.

— Peut-être aurai-je droit au pilori, fit-elle. Et l'on écrira sur l'enseigne : « Pour avoir trop aimé les roses! »

Angélique la regardait, souriant aussi, un peu déconcertée. Depuis la veille, où elle s'était trouvée pour la première fois devant la rigoriste aïeule, celle-ci semblait s'être amusée à se montrer à diverses reprises sous un aspect inattendu. Angélique ne savait plus que penser d'elle. A l'instant, elle ne savait si Mrs William se moquait, plaisantait, provoquait ou si elle-même, Angélique, interprétait mal les paroles anglaises. L'idée l'effleura que l'honorable puritaine avait peut-être un léger penchant pour les boissons fortes, gin ou rhum, ce

qui pouvait la mettre, par moments, d'humeur facétieuse, mais elle chassa vite cette pensée comme
incongrue, monstrueuse. Non, c'était autre chose.
Une sorte de griserie peut-être, mais inconsciente,
venue d'une source très pure.

Et là, debout devant cette femme altière qui la
dépassait d'une tête, solide, sévère comme le roc
et qui parlait soudain avec une indépendance légère, Angélique éprouva la même impression d'ir-
réalité que tantôt, un doute d'être là, la sensation
du décor qui vacille, du sol qui se dérobe sous les
pieds. Et le réveil qui est proche et qui ne vient
pas...

Rien! La nature immobile, lourde de senteurs
et de bourdonnements d'abeilles.

Sarah William sortit du massif de roses trémières, effleura d'un doigt caressant leurs hampes
nouées de vert, de rose et de blanc pur.

— Les voilà heureuses, murmura-t-elle.

Elle poussa la barrière, s'approcha d'Angélique.
Elle retira son gant, le mit dans une grande poche
suspendue à sa ceinture avec quelques petits instruments de jardinage. Ce faisant, son regard ne
quittait pas le visage de la femme étrangère qui,
hier, lui avait ramené sa petite-fille.

— Avez-vous rencontré le roi Louis XIV de
France? interrogea-t-elle. L'avez-vous approché?
Oui, cela se sent. Le reflet du Soleil reste sur
vous. Ah! ces femmes françaises, que de grâces!...
Allez, marchez, marchez, fit-elle avec un geste qui
l'écartait, marchez un peu devant moi...

(Son curieux sourire en coin s'accentuait, comme
gonflé d'une gaieté prête à éclater.)

— Moi aussi, je deviens comme les enfants.

J'aime ce qui est vif à l'œil, ce qui a de la grâce, de la fraîcheur...

Angélique fit quelques pas comme la vieille femme le lui enjoignait, et elle se retourna. Son regard vert interrogeait et elle avait à son insu une expression enfantine. La vieille Sarah William la fascinait. Debout au milieu du chemin — ce seul chemin à la fois rue, route, sentier, qui allait de la forêt à la « meeting-house », sur la colline, en traversant tout le hameau — recevant sur elle l'ombre des grands ormes dont le reflet des feuillages blêmissait encore ses joues couleur de cire, la grande femme anglaise se tenait campée, un poing sur la hanche, si droite, le cou si long et plein d'élégance, hors de la petite fraise godronnée, que n'importe quelle reine lui eût envié son maintien. Sa taille, étroite et resserrée par de sévères corsets, repartait en arrondis sous l'apport d'un vertugadin, sorte de bourrelet de velours noir, posé en ceinture autour des hanches. Mode du début du siècle, qu'Angélique avait vu porter à sa mère et à ses tantes. Mais le manteau de robe noir, troussé sur la seconde jupe d'un sombre violet aubergine, était plus court que jadis, et, le retenant un peu du poing contre sa taille, Mrs William ne craignait pas de révéler qu'elle était chaussée de bottes cavalières, noires aussi, fines pourtant, avec lesquelles elle devait se sentir plus à l'aise pour parcourir les chemins ou les prés détrempés.

« Comme cette femme a dû être belle autrefois! » pensa Angélique.

Elle lui ressemblerait peut-être un jour... Elle se voyait assez bien ainsi bottée, parcourant ses

domaines d'un pas vif et altier. Un peu redou-
tée, sûre d'elle-même, libérée, et le cœur en fête
à la seule vue d'une prairie en fleurs ou d'un petit
enfant s'asseyant à ses premiers pas. Elle serait
sans doute moins raide, moins rude. Mais Mrs William était-elle si rude?... Elle s'avançait, et son visage aux traits lourds et retombés mais empreints
d'harmonie s'exposait à la lumière d'émeraude
du sous-bois et trahissait un sentiment de bonheur
inoubliable. Elle s'arrêta auprès d'Angélique, changea subitement d'expression.

— Ne sentez-vous pas l'odeur du sauvage? fit-
elle tandis que ses sourcils encore sombres
se fronçaient et qu'elle retrouvait son visage
hiératique et intimidant. Elle disait : « *The red-
man* »...

Effroi et répulsion se glissaient dans sa voix.

— Ne sentez-vous pas?

— Non, vraiment, fit Angélique.

Mais elle frissonna malgré elle. Et pourtant jamais l'air ne lui avait paru si parfumé que sur ces
hauteurs où les senteurs des chèvrefeuilles et des
lianes venaient se mêler à celles des jardins en
fleurs où lilas et miel dominaient.

— Je la sens souvent cette odeur, trop souvent,
dit Sarah William en secouant la tête comme se
reprochant quelque chose. Je la sens toujours.
Elle est mêlée à toute ma vie. Elle me hante. Et
pourtant il y a longtemps que je n'ai plus eu
l'occasion de faire le coup de feu avec Benjamin
pour défendre notre demeure contre ces serpents
rouges.

» Lorsque j'étais enfant... et plus tard lorsque
nous habitions cette cabane près de Wells...

Elle s'interrompit, hocha la tête derechef, renonçant à évoquer ces souvenirs de peur et de luttes, tous semblables.

— Il y avait la mer... On pouvait encore s'enfuir en dernier ressort. Ici, il n'y a pas la mer...

Encore quelques pas.

— N'est-ce pas très beau ici? dit la voix qui cessait d'être péremptoire.

La petite Rose-Ann, agenouillée dans l'herbe, cueillait des ancolies couleur de corail.

— Newehewanik, murmura la vieille femme.

— Terre de printemps, dit Angélique.

— Vous savez donc aussi? interrogea l'Anglaise en la regardant avec vivacité.

De nouveau, ses yeux, intensément noirs sous la paupière ombrée, fixaient Angélique l'étrangère, la Française, paraissaient essayer de lire en elle, de deviner quelque chose, de découvrir une réponse, une explication.

— L'Amérique? dit-elle. Ainsi, c'est vrai, vous l'aimez?... Pourtant, vous êtes si jeune...

— Je ne suis pas si jeune que cela, protesta Angélique. Sachez que mon fils aîné a dix-sept ans et que...

Le rire de la vieille Sarah l'interrompit. C'était la première fois qu'elle riait. Un rire frêle, spontané, presque un rire de petite fille, qui découvrit des dents hautes, un peu chevalines, mais saines et parfaites.

— Oh! si, vous êtes jeune, répéta-t-elle. Peuh! Vous n'avez pas vécu, ma chère!...

— Vraiment?

Angélique était presque fâchée. Certes, les quelque vingt-cinq années supplémentaires par lesquelles Mrs William l'emportait sur elle autorisaient peut-être celle-ci à se montrer condescendante, mais Angélique estimait que son destin n'avait été ni si court ni si morne qu'elle ne puisse prétendre savoir ce que c'était que « la vie »...

— Votre vie est neuve! affirma Mrs William d'un ton sans réplique. Elle commence à peine!

— Vraiment!

— Votre accent est charmant quand vous dites : vraiment. Ah! ces femmes françaises, comme elles sont heureuses! Vous êtes comme une flamme qui commence à pétiller et à grandir avec assurance dans un monde de ténèbres qui ne vous effraie plus!... C'est maintenant seulement que vous commencez à vivre, ne le sentez-vous pas? Quand on est une très jeune femme, on a tout le poids de sa vie à construire, *des preuves à donner*... C'est écrasant! Et l'on est seule pour assumer tout cela... Dès l'enfance quittée, qu'y a-t-il de plus solitaire qu'une jeune femme?... A quarante, cinquante ans, l'on peut commencer de vivre! Les preuves ont été données! N'en parlons plus. L'on redevient libre comme les enfants, l'on se retrouve soi-même... Je crois n'avoir connu plus grande satisfaction que le jour où je constatai que la jeunesse me quittait, me quittait enfin, soupira-t-elle. Mon âme m'a paru soudain légère, mon cœur devenait plus doux et plus sensible et mes yeux voyaient le monde. Dieu lui-même me sembla amical. J'étais toujours seule, mais j'en avais pris l'habitude. J'achetais à un colporteur qui passait deux coiffes de dentelle parmi les plus belles, et ni les colères du pasteur ni la réprobation de Ben ne purent me faire céder. Je les portais désormais.

Elle rit encore, avec malice. Sa main effleura la joue d'Angélique comme elle l'eût fait d'une enfant. Angélique oubliait qu'il lui fallait partir! Le soleil semblait s'être attardé dans sa course et reposait comme une grosse fleur épanouie, très jaune encore, sur un lit de petits nuages blancs et duveteux, au-dessus de l'horizon.

Elle écoutait Mrs William.

Celle-ci lui prit le bras et elles marchèrent encore avec lenteur vers le village. Le gros des maisons restait à demi caché par le tournant et la dénivellation du terrain, mais une buée cristalline semblait s'en élever, venue du ruisseau qui coulait au pied des maisons.

— Vous aimez ce pays, madame, n'est-ce pas? reprit Mrs William. C'est signe de bonne race. Sa beauté est si grande. Je ne l'ai point connu autant que je l'aurais voulu. Vous, vous le connaîtrez mieux que moi. Lorsque j'étais jeune, je souffrais de cette existence misérable et dangereuse sur nos rivages. J'aurais voulu aller à Londres, dont nous parlaient les marins ou nos pères. Je l'avais quitté lorsque j'avais six ans. J'ai encore le souvenir de ses clochetons pressés, de ses ruelles étroites comme des ravines où grinçaient des carrosses. Jeune fille, je rêvais de m'enfuir, de retourner vers le Vieux Monde. La peur d'être damnée, seule m'en empêcha. Non, fit-elle comme répondant à une réflexion qu'aurait émise Angélique, non je n'étais pas belle en ma jeunesse. C'est *maintenant* que je suis belle. J'ai atteint le temps de ma signification. Mais lorsque j'étais jeune j'étais maigre, trop longue, éteinte, pâle, vraiment laide. J'ai toujours été reconnaissante à Ben de n'avoir pas reculé à m'épouser, en échange du lot de terrains et du sloop à pêcher la morue qu'il voulait obtenir de mon père. Ainsi ses propres terres avec une petite crique étaient valorisées car elles étaient voisines des nôtres. C'était une bonne affaire pour lui. Il devait m'épouser, il n'a pas reculé.

Elle eut un clin d'œil vers Angélique.

— Il n'a pas regretté non plus, je crois.

Elle rit doucement.

— Mais en ce temps-là je n'aurais même pas allumé une lueur d'intérêt dans les yeux de ces pirates qui débarquaient près de nos établissements pour échanger leur rhum et leurs étoffes pillées aux Caraïbes avec nos vivres frais. C'étaient des gentilshommes d'aventures, souvent des Français. Je revois leurs visages tannés de forbans, leurs tenues extravagantes, près de nos robes sombres et nos cols blancs. Ils ne nous auraient fait aucun mal à nous qui étions pauvres comme Job. Ils étaient contents de rencontrer des Blancs sur cette côte sauvage, de manger les légumes et les fruits que nous avions fait pousser. Eux, qui étaient sans foi ni loi, et nous, qui étions pieux plus que de raison, nous nous sentions de la même race, des abandonnés du bout du monde...

» Maintenant il y a bien trop de gens sur la côte et trop de navires malfamés dans la Baie. Nous préférons donc être loin, aux frontières...

» Je vous étonne, mon enfant, avec mes récits, mes aveux... Mais souvenez-vous aussi que votre

Dieu est moins terrible que le nôtre. Nous autres, quand nous vieillissons, ou bien il nous faut devenir folles, ou méchantes, ou sorcières, ou bien désormais nous agissons à notre guise. Alors tout s'apaise. Rien n'a plus vraiment d'importance!...

Elle secouait encore sa coiffe dans un geste de défi, puis d'approbation, de sérénité.

Hier soir, tant de raideur, d'implacable distance. Aujourd'hui, tant de finesse, une sorte d'humilité!

Une fois encore, Angélique se demandait si l'honorable puritaine n'avait pas quelque faiblesse cachée pour un flacon également bien caché d'eau-de-vie de prune ou de génépi.

Mais elle chassait ce doute aussitôt, le cœur ému de ces confidences subites et lancées comme en un demi-rêve.

Elle revivrait plus tard cet instant pathétique, en comprendrait le sens...

Le destin suspendu, mais déjà en marche, entraînait une femme près de son heure dernière à des gestes spontanés presque irréfléchis et qui étaient à proprement parler des mouvements de l'âme, l'expression incarnée d'un cœur ardent, qui était toujours demeuré chaleureux et tendre, sous l'armure de la dure religion.

La vieille Sarah se tourna vers Angélique et, prenant son visage entre ses mains longues et blanches, le leva vers le sien pour le contempler avec une maternelle ferveur.

— Que la terre d'Amérique vous soit propice, ma chère fille, dit-elle à mi-voix avec solennité, et je vous prie... je vous prie, sauvez-la!

123

Les mains glissèrent et se retirèrent et elle les contempla, comme bouleversée elle-même de son geste et de ses paroles.

Elle se raidit, et sa face reprit une froideur marmoréenne tandis que son brûlant regard noir se fixait vers le ciel vaste, comme une conque au delà du vallon.

— Que se passe-t-il? murmura-t-elle.

Elle écouta, puis reprit sa marche.

Elles firent quelques pas en silence. Puis Mrs William s'arrêta de nouveau. Sa main se lança sur le poignet de la jeune femme et le serra avec une telle force qu'Angélique sursauta.

— Ecoutez! dit l'Anglaise d'une voix changée.

Nette, précise, glacée.

Alors elles entendirent une rumeur qui montait dans le soir.

Intraduisible, indéchiffrable. Une rumeur de mer, de vent, que perçait un cri lointain, faible, su-raigu :

— Waubénakis! Waubénakis! (Les Abénakis!)

D'un pas vif Sarah William entraînant Angélique marcha jusqu'au tournant de la route qui leur masquait tout le reste de l'agglomération.

Le village apparut calme et désert, endormi.

Mais la rumeur enflait, grondante, faite de milliers de hululements sur lesquels éclatait le cri tragique lancé par quelques habitants qui se mirent à courir, comme des rats affolés, entre les habitations.

— Waubénakis!... Waubénakis!...

Angélique regarda vers les prairies. Un spectacle terrifiant s'offrit à sa vue. Ce qu'elle avait craint, ce qu'elle avait pressenti, ce qu'elle n'avait pas voulu croire! Une armée d'Indiens demi-nus, brandissant tomahawks et coutelas, jaillissaient de la forêt. Comme une horde fourmilière chassée de son repaire, en quelques secondes, les Indiens couvrirent les prairies du vallon, se répandirent en nappe sombre et mouvante, une eau rougeoyante, épaisse, un raz de marée déferlant, poussant devant lui sa clameur de mort.

— You-ou-ou! You-ou-ou!

Le flot atteignit le ruisseau, le couvrit, le dépassa, remonta de l'autre rive du val, toucha les premières maisons.

Une femme en robe bleue montait la côte vers elles, avec des titubations ivres. Visage blanc, bouche noire sur un appel.

— Waubénakis!...

Quelque chose la choqua dans le dos qu'on ne vit point. Elle eut une sorte de hoquet, tomba, la face contre terre.

— Benjamin! s'écria Sarah William. Benjamin!... Il est seul là-bas, dans la maison.

— Arrêtez!

Angélique essayait de retenir la vieille dame, mais celle-ci, d'un élan irrésistible, s'élança droit devant elle, vers la demeure où son vieil époux risquait d'être surpris, endormi sur sa Bible.

A moins de cent mètres, Angélique vit un Indien surgir des fourrés, rattraper en quelques souples enjambées Sarah William, abattre la grande femme d'un seul coup de casse-tête. Et se penchant, saisissant coiffe et chevelure, il la scalpa d'un tournemain.

Angélique se retourna pour fuir.

— Cours! s'écria-t-elle vers Rose-Ann avec des gestes véhéments qui désignaient la bergerie, là-bas près de la forêt, cours! Vite!

Elle-même courut à perdre haleine. Près du jardin de miss Pidgeon, elle fit halte pour ramasser son sac qu'elle avait laissé là. Elle rabattit la barrière, s'engouffra dans la maisonnette où le révérend Patridge et la vieille fille continuaient à discuter sur les fins dernières.

— Les sauvages!... Ils arrivent!...

Dans son essoufflement, elle ne parvenait plus à se rappeler le mot anglais, cherchait en vain...

— Les sauvages! répétait-elle en français, les Abénakis... Ils arrivent... Réfugions-nous dans la bergerie...

Elle pensait déjà que la ferme solide, apparemment fortifiée, pourrait soutenir un siège, permettre une défense.

Il y a la grâce du moment. Celle aussi de l'expérience, celle de l'habitude. Angélique vit le corpulent Thomas Patridge sauter sur ses pieds, attraper la petite miss Pidgeon dans ses bras comme une poupée et, traversant le jardin, s'élancer sans plus d'histoires vers le refuge désigné.

Sur le point de les suivre, Angélique se ravisa. Cachée par la porte de la maison, elle chargea ses deux pistolets, en prit un en main, sortit de nouveau.

L'emplacement demeurait heureusement désert. La femme qui était tombée au tournant, après avoir monté la côte, était toujours immobile. Elle avait une flèche plantée entre les épaules.

Cette portion du village, cachée des autres habitations par une côte et un tournant, n'avait pas encore attiré les Indiens, à part celui qui avait scalpé mistress William et qui était reparti dans une autre direction.

La rumeur qui venait de par là-bas était géante, horrible. Mais ici c'était encore le silence, une sorte d'attente angoissée, fébrile. Les oiseaux s'étaient tus.

Courant toujours, Angélique revint jusqu'à la grange au maïs.

Adhémar dormait!

— Lève-toi! Les sauvages! Cours! Cours à la bergerie! Attrape ton mousquet!...

Tandis qu'il se sauvait, hagard, elle avisa les armes de Maupertuis et ses poires à poudre, pendues à un crochet.

Elle chargeait le fusil avec des mouvements fébriles, en s'écorchant les doigts, lorsque quelque chose dégringola derrière elle, et elle vit un Abénakis, qui avait pénétré par le toit et qui dévalait le long de la montagne des maïs amoncelés. D'un coup de reins elle pivota, tenant le mousquet par le canon. Et le plat de la crosse vint frapper le sauvage à la tempe. Il tomba. Elle s'enfuit.

L'allée ombreuse était toujours déserte. Elle s'y précipita. Quelqu'un galopait derrière elle. D'un regard jeté par-dessus l'épaule, elle identifia un Indien, celui qu'elle avait assommé ou un autre? qui, la hache levée, la rejoignait à longues foulées.

Sur l'herbe ses pieds nus ne faisaient aucun bruit. Angélique ne pouvait s'arrêter pour le met-

tre en joue. Tout son salut était dans une fuite éper-
due et il lui semblait que ses pieds ne touchaient
plus terre.

Elle atteignit enfin la cour de la bergerie, se
jeta à l'abri derrière un chariot. La hache lancée
de l'Indien sonna contre le bois où le coin de
métal aigu s'enfonça. Maîtrisant son souffle,
Angélique visait, abattait le sauvage à bout portant. Il bascula en travers de l'entrée, les deux
mains crispées sur sa poitrine noircie de poudre.

En quelques enjambées, la jeune femme gagna
le seuil de la demeure dont la porte s'entrouvrit
avant même qu'elle eût frappé.

Porte qui se referma, que bloquèrent aussitôt
deux solides barres de chêne...

7

Il y avait là, en sus du ministre et de Miss Pidgeon, du soldat français Adhémar et de la petite
Rose-Ann, toute la famille du maître de céans,
Samuel Corwin, sa femme et ses trois enfants,
ses aides, deux jeunes engagés, une servante, un
voisin, le vieux Jos Caxter, le couple Stougton
avec leur bébé, également en visite de voisinage à
la bergerie au moment où l'attaque avait eu
lieu.

Ni pleurs ni lamentations. Les laboureurs avaient
acquis par force le sang guerrier. Les femmes déjà,
s'étant saisies des écouvillons de poils noirs, net-

toyaient les canons des fusils décrochés de leur place au-dessus de l'âtre.

Samuel Corwin avait le canon de son arme dans l'une des multiples meurtrières dont la maison était truffée, à la mode de toutes les maisons de Nouvelle-Angleterre, et surtout de celles des premiers temps. Par un autre trou, on guettait de l'œil au-dehors.

Ainsi, ils avaient vu la comtesse de Peyrac, la Française, abattre l'Indien lancé à sa poursuite.

Ils lui jetèrent un regard prompt et sombre : elle apportait des armes. Elle était, comme les autres, efficace, diligente. Le ministre avait jeté sur un banc sa redingote. En bras de chemise, il préparait des charges de poudre, les lèvres troussées sur ses dents carnassières. Il attendait qu'une arme fût disponible pour lui. Angélique lui passa le mousquet de Maupertuis, prit celui d'Adhémar qui tremblait comme une feuille.

Un des enfants se mit à pleurer. On le fit taire à voix basse.

Les alentours étaient silencieux. On percevait seulement ce bruit lointain comme la rumeur de la mer qui par instants s'enflait, la rumeur du massacre.

Puis il y eut de sourdes détonations et Angélique pensa aux petits canons de l'église fortifiée. Il fallait donc espérer qu'une partie des habitants avait réussi à se réfugier dans son enceinte.

— L'Eternel protégera les siens, grommela le pasteur, car ils forment son armée.

Derechef, quelqu'un lui fit signe, violemment, de se taire.

Sur le chemin passait une petite escouade d'Indiens qui couraient en tenant des torches en main. Ils semblaient venir du ravin et ne s'arrêtèrent pas.

Un enfant pleura de nouveau. Prise d'une idée subite, Angélique alla à l'une des grandes chaudières vides qui devait servir à la cuisson des fromages. Elle dit à Rose-Ann de se dissimuler là-dedans avec trois des plus petits enfants. Ils seraient comme dans un nid. Il ne fallait pas bouger.

Elle referma à demi le couvercle. Les enfants, dans cette cachette, s'affoleraient moins et ne risqueraient pas d'être bousculés par les combattants.

Elle revint à son poste d'observation.

Des Indiens se tenaient devant la barrière. Ils avaient remarqué le cadavre d'un des leurs, couché en travers du chemin.

Ils étaient quatre et discutaient, regardant en direction de la maison. Dans la pénombre rougie du soir, leurs visages « matachiés » de peintures de guerre étaient horribles à voir, et Angélique, serrée au coude à coude avec ces hommes blancs menacés, sentit la terreur de l'Indien qui l'envahissait tandis que sa chair se hérissait.

Les Indiens poussèrent la barrière et s'avancèrent à travers la cour de ferme, un peu penchés, fauves animaux, félins, entourés de mystère et d'horreur.

— *Fire!* dit à mi-voix Corwin.

La salve tonna.

Lorsque le nuage se dissipa, trois des Abénakis

se débattaient à terre dans les convulsions de l'agonie; un autre s'enfuyait.

Puis ce fut la ruée. Les sauvages venaient du ravin, par-derrière. Comme une marée envahissante qui semblait surgir de partout, les corps bruns se multipliaient, mêlant leurs clameurs au fracas des détonations.

Dans la bergerie, les assiégés, automatiquement, tiraient, passaient les armes aux femmes, attrapaient un mousquet rechargé, tandis que l'écouvillon balayait le canon brûlant, qu'une main fébrile renversait la poire à poudre, rabattait le loquet du fusil, avec un bruit sec, qui scandait le roulement de la fusillade, et le grondement démoniaque des cris au-dehors. La fumée piquait les gorges sèches, la sueur ruisselant sur les visages avec une saveur amère au coin des lèvres entrouvertes qui laissaient passer un souffle rauque.

Angélique rejeta son mousquet de côté. Plus de munitions! Elle prit ses pistolets, les chargea, emplit ses poches de balles de petit calibre, s'en fourra plein la bouche afin d'en avoir plus rapidement à portée, fixant sa corne à poudre et sa boîte d'amorces turques à sa ceinture, afin, là aussi, de ne pas perdre un geste.

Le toit craqua. Dans le fond de la pièce, un Indien dégringola. Il tomba près du pasteur Patridge, qui l'assomma d'un coup de crosse. Mais un autre sauvage suivait, qui abattit son casse-tête sur le crâne pourtant solide du révérend Thomas. Celui-ci fléchit les genoux. Le sauvage lui attrapa la chevelure et lui entaillait le front d'une large estafilade quand il reçut en pleine poitrine la décharge du pistolet d'Angélique.

Devant l'envahissement des Indiens par le toit, les Anglais reculèrent vers l'angle de la grosse cheminée. Angélique renversa la grande table de gros bois et, la poussant contre l'encoignure, en fit un rempart derrière lequel ils se rassemblèrent tous. Où trouva-t-elle la poigne suffisante pour accomplir cela? Elle se le demanderait plus tard. Mais la fureur du combat lui donnait des forces surhumaines car il s'y mêlait une véritable rage à la pensée qu'elle s'était fait piéger bêtement dans ce village de colons étrangers, et qu'elle risquait d'y laisser sa vie.

Retranchés maintenant, les paysans continuaient de tirer dans deux directions : le fond de la pièce où les assiégeants sautaient du toit, et la porte qui cédait sous les coups de hache.

Ce fut un véritable carnage et peu s'en fallut que par ce tir à la convergence serrée la victoire restât aux Blancs obstinés et pourvus d'armes à feu.

Mais les colons tiraient leurs dernières balles. Une hache lancée atteignit Corwin au défaut de l'épaule et il s'effondra avec un cri.

Se tortillant comme un serpent, un Indien se glissait entre le mur et le bord de la table et, saisissant une femme par sa jupe, la tirait à lui. Elle se débattit comme un diable et laissa tomber la corne à poudre qu'elle tenait.

Par-dessus le rebord de la table, le vieux Carter assommait tout autour de lui, à coups de crosse. Comme il levait les bras pour laisser retomber encore une fois son arme, la lame aiguë d'un poignard sournois se glissa entre ses côtes. Il bascula, plié en deux, pantin de son aux bras ballants.

Soudain, tel un baladin qui ferait un tour, quelqu'un du fond de la pièce bondit, passa par-dessus les têtes, les jambes ouvertes comme un danseur, retomba de l'autre côté de la table parmi les Anglais, et même derrière eux.

C'était le Sagamore Piksarett, chef des Patsuikett et le plus grand guerrier de l'Acadie.

Angélique entendit derrière elle son ricanement, et une main violente s'abattit sur sa nuque.

— Tu es ma captive, dit la voix du Patsuikett avec triomphe.

Angélique lâcha ses armes, désormais inutiles, et s'agrippa des deux mains aux longs cheveux ensachés dans des pattes de renard de l'Indien.

Parce qu'elle le connaissait, parce que son visage de rongeur aux yeux malicieux lui était familier, elle cessa d'être effrayée et même de les considérer, lui et sa horde, comme des ennemis. C'était des Indiens Abénakis et elle connaissait leur langage, elle connaissait les arcanes de leurs pensées primitives et subtiles. Vivement, elle se détourna pour rejeter les deux balles qui lui restaient dans la bouche.

— C'est pour me capturer que vous avez pris le village? cria-t-elle au sauvage en se cramponnant à ses cheveux. C'est la Robe Noire qui vous en a donné l'ordre?...

Et un tel éclair jaillit de son regard vert qu'il en demeura figé. Ce n'était pas la première fois que le Sagamore Piksarett et la femme du Haut-Kennebec se rencontraient.

Désignée à lui comme ennemie! Mais quelle femme avait jamais osé le saisir ainsi par les tresses d'honneur et le regarder avec une telle hardiesse alors que la mort planait sur elle.

Jadis, elle s'était déjà dressée entre lui et l'Iroquois avec le même regard. Elle ne connaissait pas la peur.

— Tu es ma captive, répéta-t-il d'un ton farouche.

— Je veux bien être ta captive, mais tu ne me tueras pas et tu ne me livreras pas à la Robe Noire parce que je suis française et que je t'ai donné mon manteau pour envelopper les ossements de tes ancêtres.

Autour d'eux, les cris et les convulsions du combat continuaient, atteignaient le paroxysme. C'était maintenant le corps à corps. Puis ce fut la fin. Et les cris de rage, d'horreur et de défense s'éteignirent peu à peu, faisant place à un silence haletant d'où monta bientôt le concert dolent des gémissements des blessés.

Carter avait été scalpé, mais les autres Européens étaient vivants car les Abénakis cherchaient surtout à s'assurer du butin par leur capture. Le révérend Patridge, dégagé du monceau de cadavres sous lequel il avait été enseveli, se tenait titubant, le visage nappé de sang, entre deux guerriers.

Un cri d'agonie s'éleva : « Au secours, madame, ou c'en est fait de moi! »

C'était Adhémar, qu'on extrayait de dessous quelque meuble.

— Ne le tuez pas! cria Angélique. Vous ne voyez donc pas que c'est un soldat français?

Cela se voyait mal en effet.

Angélique vivait ces instants hors d'elle-même,

hantée par l'idée fixe de se tirer de ce guêpier où elle était venue si bêtement se jeter. L'absurdité tragique de la situation la mettait dans une colère qui intensifiait ses réflexes de défense.

Depuis quelques instants, une pensée la dominait. *Elle connaissait les Indiens.* Et c'est par là qu'elle échapperait au piège qui lui était tendu. Car c'étaient des fauves, mais les fauves peuvent être domptés. Dans le désert du Maghreb, Colin Paturel parlait aux lions et s'en faisait des complices...

Elle se rendait compte que la horde de Piksarett était à part des autres, et était venue pour l'assaut, d'une autre direction. De sorte que la bataille dont la bergerie avait été le théâtre restait encore à l'écart du reste du combat.

Piksarett hésitait. Certains mots d'Angélique l'avaient rendu perplexe. « Je suis française!... » Car c'était l'Anglais qu'on lui avait enseigné à combattre. Et d'autre part il n'était pas capable d'oublier le don extraordinaire de ce manteau qu'elle lui avait fait pour ses ancêtres.

— Es-tu baptisée? demanda-t-il.

— Mais oui, je le suis, s'écria-t-elle exaspérée.

Et elle fit le signe de la croix plusieurs fois en invoquant la Vierge Marie.

Par la porte défoncée, Angélique crut apercevoir la silhouette d'un coureur de bois canadien qui lui parut familière. Elle s'élança, le reconnut, l'appela avec véhémence :

— Monsieur de l'Aubignière!

C'était Trois-Doigts de Trois-Rivières. Alerté, il revint sur ses pas. Pour la guerre, il dédaignait les armes des Blancs. Il tenait en main un tomahawk de bois poli et la petite hache indienne au tranchant aiguisé, et rouge de sang. Son regard bleu brillait dans son visage noirci par la poussière et le sang. Du sang encore sur ses vêtements de peau chamoisée et des scalps accrochés, passés d'un coup de main prompt à sa ceinture multicolore qui laissait s'écouler de longs filets pourpres.

Celui-là, comment l'atteindre, le circonvenir?... C'était un chevalier incorruptible, guerrier de Dieu, l'esprit ailleurs, avec celui des Maudreuil, des Loménie, des Arreboust, tout occupé de son rêve de vengeance, de salut et de paradis...

Pourtant il la reconnut.

— Hé là! Madame de Peyrac... Que faites-vous ici parmi ces damnés hérétiques?... Ah! malheur sur vous!

Il entra dans la demeure ravagée où les Abénakis, ayant rassemblé leurs captifs, se livraient au pillage.

A son tour, elle le happa par les revers de son buffletin.

— La Robe Noire, cria-t-elle, je suis sûre d'avoir aperçu la Robe Noire sur la prairie avec son étendard... C'était le père d'Orgeval qui vous a conduits à l'attaque, n'est-ce pas? Lui, savait me trouver dans ce village!...

Elle affirmait plus qu'elle n'interrogeait. Il la regardait, la bouche entrouverte, un peu ahuri. Il chercha une réponse, une excuse :

— Vous avez tué Pont-Briand, fit-il enfin, et vous bouleversez l'Acadie, vous et votre mari, par vos alliances. Il faut que nous ayons la main sur vous...

C'était donc cela.

Joffrey! Joffrey!

On allait enlever, emmener prisonnière la femme du redoutable gentilhomme de Wapassou qui déjà régnait, par son influence extraordinaire, sur toute la terre d'Acadie.

On l'emmènerait à Québec. On contraindrait Joffrey à travers elle. Elle ne le verrait plus.

— Maupertuis? interrogea-t-elle, haletante.

— Nous les avons appréhendés, lui et son fils. Ils sont canadiens de Nouvelle-France. En un jour comme celui-ci ils devaient être avec leurs frères.

— Ont-ils participé à l'attaque avec vous?

— Non! Leur cas sera jugé à Québec. Ils ont servi les ennemis de la Nouvelle-France...

Comment le gagner! Il était pur, intraitable, crédule, habile, avide, versatile, croyant aux miracles, aux saints, à la cause de Dieu et du roi de France, à la suprématie des jésuites. Une sorte d'archange saint Michel lui aussi. Il ne s'intéressait pas à elle. Il avait des ordres. Et aussi des fautes à racheter aux yeux des tout-puissants.

— Si vous croyez qu'après cela le comte de Peyrac, mon époux, va vous aider à vendre vos castors en Nouvelle-Angleterre, lui lança-t-elle, grinçant des dents. N'oubliez pas qu'il vous a avancé pour mille livres et vous a même promis une somme double s'il y avait bénéfice...

— Chut! fit-il en pâlissant et en regardant autour de lui.

— Tirez-moi de ce mauvais pas ou je parlerai de vous sur la place publique de Québec.

— Entendons-nous, lui glissa-t-il à mi-voix,

tout peut s'arranger encore. Nous sommes à l'écart du village. Je ne vous ai pas vue...

Et, tourné vers Piksarett :

— Laisse cette femme, Sagamore! Elle n'est pas anglaise, et sa capture nous porterait malheur.

Piksarett étendit sa main rouge et huileuse et la posa sur l'épaule d'Angélique.

— Elle est ma captive, répéta-t-il d'un ton sans réplique.

— Soit, dit Angélique fébrile, je suis ta captive, je n'en disconviens pas. Tu peux me suivre où tu veux, je ne m'y opposerai pas. Mais tu ne m'emmèneras pas à Québec... que ferais-tu de moi là-bas? « Ils » ne voudront pas me racheter puisque je suis déjà baptisée. Emmène-moi jusqu'à Gouldsboro, et là mon mari te paiera une belle rançon selon ta demande.

C'était une terrible partie de poker. Des fauves à dompter, à troubler, à persuader. Mais elle les connaissait. Les arguments les plus absurdes lui venaient aux lèvres, mais c'étaient ceux-là qui atteignaient les esprits furtifs, obscurs, qu'elle devait se concilier. Il n'était pas question de nier les droits de Piksarett sur elle. Il l'aurait plutôt abattue d'un coup de tomahawk immédiat pour les affirmer, mais elle le savait libre, capricieux, absolument indépendant de ses alliés canadiens et, privé de la gloire de gagner une âme au paradis de ses chers Français, puisqu'elle était baptisée, il hésitait, doutant maintenant de l'importance de sa capture. Il fallait le décider avant que d'autres Français qui savaient ce qu'ils voulaient gagner avec Mme de Peyrac, que le terrible jésuite lui-même, qui sait, apparussent au tournant du chemin. Et puisque l'Aubignière, par chance, était complice.

Des brandons enflammés commencèrent à leur tomber sur la tête car, tandis qu'ils discutaient, les Abénakis de Piksarett, fourrant leurs torches méthodiquement un peu partout, avaient mis le feu à la bergerie.

— Venez! Venez donc, les pressa Angélique en les poussant au-dehors.

Elle aida à se relever quelques-uns des Anglais blessés ou hébétés.

— Oh! mon Dieu, les enfants!...

Elle revint en arrière, souleva le couvercle de la grande chaudière et en sortit, l'un après l'autre, les moutards muets d'effroi. La découverte de cette cachette incongrue provoqua l'hilarité des Indiens présents. Ils se tordaient de rire en se tapant sur les cuisses et se montraient le spectacle du doigt.

La chaleur devenait intolérable.

Une poutre craqua et s'effondra à demi dans une gerbe d'étincelles.

Toute la compagnie se transporta en courant au-dehors, dans la cour, enjambant cadavres et débris.

La vue des arbres proches, du ravin ombreux de la forêt, éperonna le désir de fuite irrésistible d'Angélique. Les instants étaient comptés.

— Laisse-moi partir vers la mer, Sagamore, dit-elle à Piksarett, ou tes ancêtres t'en voudront d'avoir si peu de considération pour moi. Eux, savent que mes génies particuliers ne méritent pas qu'on les traite avec mépris et légèreté. Tu commet-

trais une lourde erreur en me conduisant à Québec. En revanche, tu ne regretteras pas de venir
avec moi.

Le visage crispé du grand Abénakis prouvait
que son esprit était l'arène d'un débat fort confus.
Angélique ne lui laissait pas le temps d'en débrouiller l'écheveau.

— Veillez à ce que l'on ne nous poursuive pas.
Témoignez que je n'étais pas dans ce village, dit-
elle à Trois-Doigts, lui aussi assez bousculé par
les événements et l'autorité sans appel d'Angélique. Nous saurons vous en être reconnaissants.
Mon fils Cantor, savez-vous où il est? L'avez-vous
capturé?

— Je vous jure sur le Saint-Sacrement que
nous ne l'avons point vu.

— En avant donc, dit-elle. Moi, je pars. *Come on!*
Come on!

— Hé là! s'écria Piksarett, voyant qu'elle ras-
semblait les Anglais survivants de la bergerie,
ceux-là appartiennent à mes guerriers...

— Eh bien! qu'ils viennent aussi. Mais seulement les maîtres des captifs.

Trois grands escogriffes emplumés se précipitèrent avec des exclamations en avant, mais un ordre
brutal de Piksarett suspendit leur élan.

Le temps pour Angélique d'attraper un enfant
sur le bras, d'entraîner une femme avec elle, de
pousser devant elle le colossal Thomas Patridge
titubant et aveuglé par le sang.

— Adhémar, par ici! Donne la main à ce petit
garçon. Ne le lâche pas surtout. Courage, miss
Pidgeon!

Elle dévalait la pente, tournant le dos au village

détruit qui flambait, les entraînant vers la liberté comme jadis, comme toujours, à La Rochelle, en Poitou, et plus loin encore, dans la nuit de son enfance fuyant, fuyant devant elle avec un troupeau de déshérités qu'elle arrachait à la mort.

Et ce soir-là l'âme de la vieille Sarah était en elle tandis qu'elle plongeait sous les ramures, s'engouffrait dans le silence des arbres ténébreux avec les Anglais survivants de Brunschwick-Falls.

Sur leurs traces s'étaient élancés Piksarett et les trois Indiens qui considéraient les Anglais comme leur appartenant. Ils les suivaient à longues foulées, mais sans les rejoindre et en conservant une certaine distance.

Ce n'était pas une poursuite.

Angélique le savait, le sentait et, à mesure qu'ils s'éloignaient tous du village maudit, les craignait moins, discernait qu'ils perdaient de leur tension guerrière et hystérique.

Sa conduite était une énigme pour les Anglais, qui chaque fois qu'ils se retournaient geignaient que les sauvages les poursuivaient.

— Ne craignez rien, leur répondait Angélique, ils ne sont plus que quatre au lieu d'être cent. Et je suis avec vous. Ils ne vous feront plus de mal. Je les connais. Ne craignez rien. Marchez! Marchez seulement.

Les pensées de Piksarett lui étaient alors aussi claires et nettes que si elle les avait elle-même formulées avec une cervelle sauvage.

Puéril, il aimait l'inédit, la nouveauté, l'insolite.

Superstitieux, les génies particuliers d'Angélique l'amusaient et l'effrayaient à la fois.

Intrigué, il marchait sur ses pas, calmait d'un mot ses guerriers impatients, curieux de savoir ce qui allait se passer maintenant, et de quelle sorte étaient ces esprits malins, fugaces et indomptables qu'il avait vu danser en étincelles vertes dans les yeux de la femme blanche.

Plus loin, en contrebas, l'eau calme de la rivière Androscoggin brilla entre les branches. Des canots étaient échoués sur la rive.

Ils y montèrent et commencèrent à descendre le courant vers la mer.

8

La nuit... Au pied de la chute d'eau, dans la nuit où s'éteignaient et s'allumaient des lucioles, nuit chaude ronflante du cri des batraciens, et où rôdait une odeur d'incendie, les Européens prirent un peu de repos. Serrés les uns contre les autres, près des canoës d'écorces, grelottant malgré la température clémente, certains priant, d'autres gémissant tout bas...

Ils attendirent l'aube.

Il y avait, parmi ceux qu'Angélique avait emmenés hors de la bergerie en flammes et arrachés à leur sort de captifs, le laboureur Stougton, sa femme et leur bébé et toute la famille Corwin au complet. Béni soit le Seigneur! Qu'y a-t-il de plus affreux que de sauver sa vie en laissant derrière soi celle d'un être aimé?... Les deux valets de Corwin et la servante avaient suivi aussi.

Rose-Ann se blottissait contre Angélique, et de l'autre côté il y avait Adhémar, qui en aurait bien fait autant et ne la quittait pas d'un pouce.

— « Ils » sont là, chuchotait-il. Ah! je le savais bien, quand je me suis trouvé dans ce pays de sauvages, que j'y laisserais mes cheveux, un jour!

La frêle miss Pidgeon ne portait pas une égratignure et c'était elle qui avait guidé ce grand corps sans tête qu'était devenu momentanément le révérend Patridge, car non seulement le sang le rendait aveugle, mais il était pratiquement sans connaissance et ne tenait debout que par la force de l'habitude et parce que ce genre d'énorme carcasse ne peut tomber à terre que dans la mort. C'était la bonne institutrice qui, dès qu'elle l'avait pu, lui avait lavé le visage et entortillé son châle autour du front. Enfin, Angélique, dans le canot, avait réussi à ouvrir son sac et à en tirer le sachet de poudre jaune de sel de fer que lui avait donné Joffrey, qui avait la propriété d'aider le sang à se coaguler, et l'hémorragie s'était arrêtée.

De son demi-scalp, le pasteur anglais ne garderait sans doute qu'une laide estafilade à travers le front qui ne contribuerait certes pas à le rendre plus rassurant.

Endormi lourdement, sa respiration difficile emplissait les intervalles de silence d'un rauquement pénible. Sous le pansement, tout un côté de sa face était tuméfié, noir et violacé. Mieux valait l'ombre, car, déjà peu avantagé par la nature, il était devenu tout bonnement hideux.

Une enfant pleurait, debout, toute droite, et son visage blanc mettait une clarté dans la nuit.

— Il faut dormir, Mary, essaie de dormir, lui dit Angélique doucement en anglais, *you must try to sleep.*

— Je ne peux pas, sanglota-t-elle, les païens me regardent.

Ils étaient tous les quatre là-haut, assis au sommet des chutes, quatre Indiens, quatre Abénakis, dont le grand Piksarett, et ils regardaient vers le fond obscur où grouillaient les misérables captifs.

A la lueur d'un petit feu qu'ils avaient allumé on distinguait leurs faces cuivrées et l'éclat de leurs yeux de serpent.

Ils avaient continué à les suivre. Mais sans chercher à les attaquer, ils étaient paisibles et fumaient en devisant, intrigués, curieux. Qu'allait-il se passer maintenant? Qu'inventeraient encore les esprits inconnus qui habitaient la femme blanche de Wapassou? Que lui dicteraient ses génies particuliers?... Par-dessus l'eau bondissante de la chute, des regards s'échangeaient.

Angélique essayait de rassurer ses protégés.

— Maintenant, ils ne nous feront plus de mal. Il faut les entraîner jusqu'au littoral et là, mon époux, le comte de Peyrac, saura les entretenir, les flatter, leur faire de beaux présents en échange de notre vie et de notre liberté.

Ils la regardaient médusés, devinant dans leur cervelle froide et outrancière de puritains qu'elle aussi était d'une autre espèce humaine, un peu effrayante, un peu répugnante même à leur sens.

Cette femme blanche trop belle, qui s'entretenait avec des Indiens, parlait leur langage, semblait s'introduire en leur affreuse et obscure mentalité païenne pour mieux les dompter et se les asservir.

Ils étaient conscients du phénomène qu'elle représentait, en concevaient peur et mépris, un peu comme pour le vieux Shapleigh, mais comprenaient aussi qu'ils lui devaient leur vie, pour le moins leur liberté.

C'était à sa familiarité indécente avec ces sauvages, à sa faconde, à ses discours véhéments en ce langage exécré des païens, qui franchissait ses belles lèvres avec volubilité, qu'ils avaient dû ce changement d'humeur des Indiens qui leur laissaient la vie sauve, et s'enfuir par les bois sous leurs yeux, loin des lieux du massacre.

Conscients aussi du miracle et de la nécessité de demeurer sous son aile, rassurés par sa seule voix, les Anglais cherchaient à excuser son étrangeté en se disant qu'après tout c'était une Française...

Dans le milieu de la nuit, Angélique monta vers ces sauvages au-dessus de la chute d'eau pour leur demander en toute simplicité s'ils avaient un peu de graisse d'ours ou d'huile de loup-marin, car elle voulait en oindre les brûlures du petit Sammy Corwin, âgé de neuf ans, qui souffrait beaucoup.

Ils s'empressèrent autour d'elle, pour lui confier aussitôt une vessie d'orignal contenant la précieuse huile de phoque, malodorante mais pure et salutaire.

— Hé! n'oublie pas, femme, que ce garçon m'appartient, lui dit l'un des guerriers. Mais soigne-le bien car je l'emmènerai avec moi demain, dans ma tribu.

— Ce garçon appartient à son père et à sa mère, répliqua Angélique. On te le rachètera.

— Mais moi j'ai mis la main sur lui au combat... et je veux un enfant blanc dans mon wigwam.

— Je ne te laisserai pas l'emmener, dit Angélique avec un calme inexorable.

Elle ajouta, pour apaiser la colère du sauvage :

— Je te donnerai bien d'autres choses pour que tu ne sois pas privé de ta part de butin... Demain, nous tiendrons conseil.

A part cela, la nuit s'écoula sans incidents. Plus rien ne parvenait des échos du massacre. Tandis qu'ils fuyaient, ils avaient entr'aperçu, au tournant de la rivière, une lueur rouge lointaine. Brunschwick-Falls, village de frontière, achevait de se consumer.

Alors ils restèrent accroupis, sans pensée, se réfugiant dans les ténèbres.

Vers le gris de l'aube, quelque chose dévala la côte, sillonnant l'herbe et les broussailles, et Wolverines le glouton fut là, dardant ses crocs dans un rictus qui, cette fois, ressemblait à un sourire de bienvenue. Cantor surgit sur ses traces, portant un enfant anglais endormi dans ses bras, un petit garçon de trois ans qui suçait son pouce.

— Je l'ai trouvé debout près de sa mère scalpée, expliqua-t-il. Elle lui répétait : « Ne crains rien. Je te promets qu'ils ne te feront pas de mal. » Quand elle a vu que je le ramassais, enfin elle a fermé les yeux et elle est morte.

— C'est le fils de Rebecca Turner, dit Jane

Stougton. Pauvre petit! Déjà son père a été tué l'an dernier.

Ils se turent car les quatre Indiens s'approchaient. Ils ne semblaient pas agressifs. Séparés de leur horde et rendus perplexes par l'attitude de ces étranges captifs qui ne se laissaient pas saisir, ils avaient changé d'humeur.

Celui qui avait réclamé le fils des Corwin vint vers Cantor et tendit les mains vers le petit enfant.

— Donne-le-moi, dit-il. Donne-le-moi. J'ai tant rêvé d'avoir un enfant blanc dans mon wigwam, et ta mère ne voudra jamais me rendre celui que j'ai capturé à Newehewanik. Donne-moi celui-là qui n'a plus ni père, ni mère, ni famille, ni village. Que veux-tu donc en faire? Moi, je l'emmènerai, j'en ferai un chasseur et un guerrier, je le rendrai heureux. Les enfants sont heureux dans nos cabanes.

Il avait un air suppliant et presque pitoyable.

Piksarett avait dû le convaincre au cours de la nuit, non sans malice, qu'Angélique ne le laisserait jamais emmener son jeune captif, le jeune Samuel, et que, s'il passait outre à ses décisions, elle le transformerait en orignal pour la fin de ses jours.

Partagé entre la crainte d'un si triste sort et son bon droit, il estimait proposer une solution acceptable en se contentant du petit orphelin qu'avait sauvé Cantor.

Angélique regarda son fils avec une interrogation pathétique dans le regard.

— Qu'en penses-tu, Cantor?

Pour elle, elle ne savait vraiment plus quelle décision prendre. L'idée de voir ce petit enfant anglais, ce petit enfant blanc, emmené au fond des forêts, lui crevait le cœur. Et, d'autre part, un certain sentiment de justice, de prudence aussi, la poussait à accorder à ce guerrier abénakis sa demande humblement présentée. Elle les avait assez bernés, « fait marcher », depuis la veille. A trop leur disputer leurs proies, ne risquaient-ils pas de soudain perdre patience.

Elle était torturée : je ne peux pas accepter cela.

— Qu'en penses-tu, Cantor?

— Oh! dit l'adolescent en hochant la tête. On sait que les enfants blancs ne sont pas malheureux avec les Indiens. Mieux vaut laisser partir celui-là qui n'a plus de famille que de nous retrouver tous le crâne ouvert.

La voix de la sagesse parlait par sa bouche.

Angélique se souvenait des cris de désespoir du petit Canadien, neveu de l'Aubignière, lorsque, dans un échange, on avait voulu l'arracher à ses éducateurs iroquois (1). Les enfants blancs n'étaient pas malheureux chez les Indiens.

Elle regarda vers les Anglais d'une façon interrogative. Mais Mme Corwin serrait farouchement contre elle son fils, comprenant que le sort de celui-ci était en jeu, et les autres marquaient par leur attitude que la destinée du petit Turner leur était, dans les conjonctures actuelles, assez indifférente. Si le révérend Patridge avait été conscient,

(1) Lire dans la même collection, *Angélique et le Nouveau Monde, T. 1* et *T. 2* 679***, 680***.

148

peut-être aurait-il protesté au nom du salut éternel de l'enfant. Mais il demeurait plongé dans l'hébétude.

Mieux valait que l'orphelin s'en allât de son côté, plutôt que d'arracher leur fils aux Corwin, tous heureusement sauvés.

— Donne-le-lui, murmura Angélique à Cantor.

Comprenant qu'il avait obtenu gain de cause, l'Indien esquissa quelques entrechats et manifesta une grande reconnaissance.

Puis il tendit ses grandes mains et enleva délicatement l'enfant. Celui-ci regarda sans terreur la face bariolée qui se penchait sur lui.

Très content d'avoir eu ce qu'il désirait plus que tout, un enfant blanc dans son wigwam, le guerrier prit congé.

Après avoir échangé quelques paroles d'entente avec ses compagnons, il s'éloigna, serrant précieusement sur ses colliers de dents d'ours et ses croix de baptisé l'enfant hérétique arraché par lui à la barbarie de sa race et auquel il ferait connaître la vraie vie des Vrais Hommes.

Cantor racontait comment, s'étant écarté pour aller à la recherche des chevaux et de Maupertuis, il avait deviné des silhouettes suspectes se glissant parmi les arbres.

Pris en chasse par des guerriers, il avait dû, pour leur échapper, les entraîner fort loin, vers le plateau.

Revenu par un long détour, il avait capté les échos de la bataille. Il s'était rapproché alors avec mille précautions, ne tenant pas à servir d'otage en tombant entre les mains des Canadiens.

C'est ainsi qu'il avait assisté au départ des captifs anglais vers le nord, parmi lesquels, ne voyant pas sa mère, il en avait déduit qu'elle avait dû réussir à s'échapper.

— Tu n'as donc pas pensé que j'aurais pu être égorgée ou scalpée?

— Oh non! dit Cantor, comme si la chose allait de soi.

Il était allé rôder dans Brunschwick en flammes et y avait rencontré Trois-Doigts de Trois-Rivières. Par lui, il apprenait que Mme de Peyrac, saine et sauve, se dirigeait vers la baie de Sabadahoc, avec une poignée de rescapés.

L'incident de l'enfant semblait avoir prouvé que, jusqu'à nouvel ordre, les Indiens laissaient à Angélique une certaine latitude de prendre les décisions en ce qui les concernait tous. Pour bizarre que fût une telle situation, à quelques heures de l'assaut qui les avait jetés contre le village anglais, elle correspondait à la mentalité versatile des sauvages.

Angélique, par sa personnalité, les avait entraînés vers une autre piste. Pour un peu, ils auraient oublié les raisons du combat de la veille, et ce qu'ils faisaient ici avec elle et quelques Anglais stupides, se montrant uniquement désireux de connaître les suites de l'aventure qu'elle leur proposait.

Néanmoins, Piksarett tint à rappeler quelques principes essentiels.

— N'oublie pas que tu es ma captive, interrompit-il en pointant son index à la naissance du cou d'Angélique.

— Je sais, je sais, je t'ai déjà dit que je le

reconnaissais volontiers. Est-ce que je t'empêche d'être là où je suis?... Demande à tes compagnons si j'ai l'attitude d'une captive qui voudrait t'échapper?...

Tracassé par la subtilité du raisonnement où il discernait quelque chose de louche, mais aussi de cocasse, Piksarett penchait la tête de côté pour réfléchir plus à fond, et son regard oblique pétillait de plaisir tandis que ses deux comparses lui donnaient bruyamment leur avis.

— A Gouldsboro, tu pourras même me vendre à mon propre mari, expliquait Angélique. Il est très riche et je suis sûre qu'il n'hésitera pas à se montrer généreux. Enfin, du moins, je l'espère, se reprenait-elle avec une mimique assombrie qui mettait en joie les trois Indiens.

A l'idée que l'époux d'Angélique se trouverait contraint de racheter sa femme, leur hilarité ne connut plus de bornes.

Il y avait décidément beaucoup de divertissement à suivre la femme blanche du Haut-Kennebec et les Anglais qu'elle remorquait.

Chacun sait qu'il n'y a pas d'animal plus maladroit qu'un Yenngli, et ceux-ci, rendus encore plus gauches par la peur et leurs blessures, ne se privaient pas de patauger, de s'étaler à chaque pas, de renverser les canots au moindre remous.

« Ah! ces Yennglis!... Ah! ils nous feront mourir de rire », répétaient les Indiens en se contorsionnant. Puis soudain, pour se donner des airs de maîtres :

— Filez! Allez! Marchez, Anglais! Vous avez tué nos missionnaires, brûlé nos cabanes, bafoué nos croyances. Sans le baptême des Robes Noires, vous n'êtes rien pour nous, même pas des êtres à peau blanche, dont pourtant les ancêtres païens furent des dieux!

Ainsi escortée de leurs jacassements, la pauvre caravane arriva au soir sur la baie de Sabadahoc où confluaient l'embouchure de l'Androscoggi et celle du Kennebec.

La brume brouillait l'horizon de l'estuaire, mais, à ces effluves marins venus des rivages, se mêlaient encore de suspects relents d'incendie.

Angélique escalada promptement la pente d'une petite colline.

Aucune voile n'était en vue. Aucun navire ne se devinait dans la grisaille.

Angélique sut d'instinct que la baie était déserte. Aucune embarcation ne croisait au large guettant l'arrivée de silhouettes humaines sur le littoral pour se rapprocher et les prendre à son bord.

Aucun *Rochelais*, petit yacht à la tutelle rouge, où Le Gall l'aurait accueillie, et même peut-être Joffrey!...

Aucune présence familière. Personne au rendez-vous!...

Une pluie fine se mit à tomber. Angélique s'appuya au tronc d'un pin. L'endroit respirait la mort, le désert. Sur la gauche, se gonflant sur le ciel, un champignon de fumée noire s'élevait. Cela venait de la direction de Sheepscot, un établissement anglais qu'on lui avait annoncé à l'embouchure de l'Androscoggi et où elle comptait laisser ses rescapés avant de s'embarquer sur *Le Rochelais*.

Apparemment, Sheepscot achevait de brûler, Sheepscot n'existait plus.

Une angoise insurmontable s'empara d'Angélique et elle sentit ses forces l'abandonner. Elle se retourna et vit Piksarett qui l'observait. Il ne fallait pas lui montrer sa peur. Mais elle n'en pouvait plus.

— Ils ne sont pas là, lui dit-elle, presque avec désespoir.

— Qui attendais-tu?

Elle lui expliqua que son époux, le seigneur de Wapassou et de Gouldsboro, aurait dû se trouver là avec un vaisseau. Il les aurait tous emmenés à Gouldsboro, là où, lui, Piksarett, aurait pu acquérir les plus belles perles de la terre, boire la meilleure eau-de-feu du monde...

Le sauvage hochait la tête d'un air peiné et semblait sincèrement partager sa déception et son ennui. Il regardait avec inquiétude autour de lui.

Cependant, Cantor et les Anglais montaient plus lentement là colline, suivis des deux autres Indiens.

Fatigués, ils s'assirent avec mélancolie sous les pins pour se protéger de la pluie. Angélique les mit au courant de la situation. Les trois Indiens se mirent à discuter avec agitation.

— Ils disent que les Indiens Sheepscot sont leurs pires ennemis, expliqua Angélique aux Anglais. Eux sont du Nord, des Wonolancet...

Elle ne s'étonnait pas, connaissant les éternelles querelles des Indiens entre eux qui pouvaient, à quelques faibles distances, les faire pénétrer en un territoire ennemi où ils risquaient leurs vies s'ils n'étaient pas en nombre et en armes.

— *It just does not matter,* fit Stougton avec découragement, Sheepscot ou Wonolancet, pour nous c'est la même chose. Ils sauront toujours nous scalper. A quoi bon être venus jusqu'ici?... Notre heure ne va pas tarder.

Le silencieux paysage marin paraissait receler une menace cachée. Derrière chaque rideau d'arbres, chaque promontoire, on s'attendait à voir surgir des Indiens, tomahawks levés, et voici que Piksarett et les siens n'étaient pas plus rassurés que leurs captifs.

Angélique fit un effort pour dominer sa peur. « Non! non! cette fois, je ne me laisserai pas faire », se dit-elle en serrant les poings et sans trop savoir à qui s'adressait ce défi.

Tout d'abord, décida-t-elle, il fallait quitter cette côte où se rallumait la guerre indienne et essayer à tout prix de gagner Gouldsboro. Il y avait peut-être d'autres villages plus loin, des embarcations.

Gouldsboro! Le fief de Joffrey de Peyrac. Leur domaine! Le refuge. Mais que c'était loin Gouldsboro!

Pas une voile sur l'estuaire...

Peu d'heures auparavant, même pas vingt-quatre heures, la vieille Sarah William avait pris le visage d'Angélique entre ses mains et lui avait dit : « L'Amérique! L'Amérique! Sauvez-la! »

Un dernier message, un peu fou. Car la mort était là déjà, tapie dans les buissons, qui allait fondre sur elle.

Etait-ce une angoisse de cette sorte qu'Angélique

éprouvait maintenant dans le soir désert à l'odeur d'algues, de brume et de carnage?

— Hayh! dit Piksarett en posant la main sur son épaule.

Du doigt, il lui désignait deux silhouettes humaines, montant par un sentier du rivage.

Elle eut un moment d'espoir, mais reconnut très vite, à son chapeau pointu, le vieux *medecin's man* John Shapleigh et son Indien.

Ils coururent tous à lui afin de s'informer. Il leur dit qu'il venait de la plage et que là-bas les Indiens Sheepscot avaient tout brûlé. Une embarcation? Y avait-il une embarcation? Non.

Les habitants qui avaient échappé au scalp ou à la captivité s'étaient réfugiés dans les îles avec leurs barques.

Voyant le désespoir des pauvres gens de Brunschwick-Falls il finit, non sans grimaces et réticences, et aussi parce qu'Angélique demandait qu'il les conseillât, par proposer de les conduire jusqu'à une cabane qu'il possédait à dix miles de là sur la baie de Casco. Ils pourraient s'y reposer et s'y soigner... En attendant, malgré le peu d'agrément qu'il y avait à passer une nuit en plein air dans cette bruine, la plupart d'entre eux, et Angélique elle-même, répugnaient à quitter les lieux du rendez-vous. Le navire de Gouldsboro avait peut-être du retard. Qui sait s'il ne surgirait pas dans quelques heures ou le lendemain à l'aube?...

La question fut tranchée par l'apparition subite, au tournant du bois, d'un petit groupe d'une dizaine d'Indiens Sheepscot.

Piksarett et ses guerriers s'élancèrent promptement dans une direction opposée et disparurent aux yeux de tous.

Par bonheur, Shapleigh et son acolyte étaient en bons termes avec les nouveaux venus. Le vieux Shapleigh, un homme de médecine digne de leurs meilleurs « jongleurs », était fort respecté dans la région où il « exerçait » depuis plus de trente ans. Son ascendant lui permit d'étendre sa protection sur Angélique et ses compagnons. Les Sheepscot poussèrent l'obligeance jusqu'à proposer de surveiller l'arrivée possible des navires en ce point de la côte. Ils prirent avec soin le signalement du *Rochelais* et promirent, s'ils le voyaient, de l'envoyer à la pointe Maquoit, où le vieux Shapleigh avait sa cabane.

9

Joffrey de Peyrac avait bondi.

— Quoi? Que dites-vous là?

On venait de lui apprendre que Mme de Peyrac était partie seule pour le village de Brunschwick-Falls avec son fils afin de reconduire la jeune Anglaise.

La nouvelle lui avait été mentionnée incidemment par Jacques Vignot qui le rejoignait au cap Small, dans les environs de Popham, où le comte s'était rendu deux jours auparavant avec le baron de Saint-Castine.

Des caisses contenant des marchandises de traite retardées par le manque d'embarcations arrivaient de Houssnock, escortées par le charpentier et un soldat.

— Mais quel jour Mme la comtesse a-t-elle pris cette décision étrange?

— Quelques heures après votre propre départ, monsieur, le même jour...

— Ne lui avait-on pas remis le message où je l'avertissais de mon absence possible de quelques jours et la priais de m'attendre patiemment au poste du Hollandais?

Les deux hommes n'en savaient rien. « Quelle imprudence! songeait Peyrac. Avec ces bruits de guerre courant. Le poste du Hollandais était en revanche une sorte de camp retranché... Aucun risque. Mais s'enfoncer à l'intérieur des terres, presque sans escorte... »

— Avec qui sont-ils partis?

— Les deux Maupertuis.

— Quelle étrange idée! Mais quelle idée! s'exclama-t-il avec colère.

Intérieurement, il pestait contre Angélique, se défendant mal d'une anxiété profonde qui brutalement l'assaillait.

Quelle idée, vraiment! C'était inconcevable. Elle n'en faisait qu'à sa tête! Quand il la reverrait, il la tancerait d'importance, lui ferait comprendre que, malgré leur situation privilégiée, la contrée de longtemps ne serait pas sûre, particulièrement à l'ouest du Kennebec.

Il calculait. Trois jours s'étaient écoulés depuis son propre départ vers la côte et celui, visiblement simultané, d'Angélique vers l'établissement des frontières... Mais où pouvait-elle se trouver maintenant?...

La pluie tombait, la brume cachait la baie où la marée montante murmurait, lovant ses courants torrentiels autour des îles à demi submergées.

Par la faute de ces marées d'équinoxe, beaucoup de ceux, Européens ou Indiens, qui devaient se rendre à ce rendez-vous par la mer s'étaient trouvés retardés.

Le grand chef Tarratine Mateconando désirait que tout son monde fût présent. En attendant, on s'était livré à des pourparlers préliminaires. Dimanche, le chapelain du baron de Saint-Castine, un moine Récollet fort barbu et plus tanné qu'un pirate, avait célébré la messe.

Enfin, mardi, ce matin même, toute la population de ce que l'on appelait plus précisément, parmi les circonvolutions infinies de la côte, le petit golfe du Maine, se trouvait réunie. Les dernières caisses de présents venaient d'arriver. La cérémonie allait commencer.

C'est alors que Peyrac apprenait l'escapade d'Angélique.

Où pouvait-elle se trouver aujourd'hui? Etait-elle revenue à Houssnok? Ou bien, suivant le plan qu'ils avaient discuté ensemble auparavant, avait-elle gagné, par la rivière Androscoggi, l'une des branches de l'estuaire du Kennebec, la baie de Merrymeeting où Corentin Le Gall devait les attendre avec le petit bateau *Le Rochelais*?...

Dans le doute, il se décida à faire appeler son écuyer, le Breton Yann Le Couennec.

Il lui recommanda tout d'abord de bien se restaurer, de vérifier l'état de son armement et ses souliers, et de se mettre en mesure d'effectuer une course des plus rapides.

Puis il s'assit à l'écart, griffonna quelques mots tandis qu'un des soldats espagnols de sa garde lui tenait avec déférence sa corne d'encre.

Quand le Breton se présenta, prêt au départ, il lui remit le message, mais en y ajoutant de vive voix ses instructions particulières.

Si Yann trouvait Mme de Peyrac au poste du Hollandais, ils devaient tous plier bagage et les rejoindre ici. En revanche, si elle n'était pas encore revenue de Brunschwick-Falls, lui, Yann, devait s'y rendre à son tour, et en consigne générale il devait mettre tout en œuvre pour retrouver Mme de Peyrac coûte que coûte, où qu'elle fût... et ensuite lui faire regagner Gouldsboro... par le plus court chemin.

L'homme s'éloignait, nanti de ces strictes recommandations. Peyrac dut faire un effort considérable pour chasser son souci lancinant concernant Angélique et reporter toute son attention sur la rencontre qui allait se dérouler.

A l'appel du baron de Saint-Castine, tous ces pauvres gens étaient venus de loin, parfois non sans péril, pour le rencontrer.

Et, s'ajoutant aux Indiens des principales tribus de l'endroit, il y avait quelques-uns des Blancs dispersés qui, sans considération de leurs différences de nationalité ou des antagonismes de leurs royaumes d'origine, avaient tenu à s'assembler et à tenir conseil autour du seigneur français de Gouldsboro.

Des commerçants anglais de Pemaquid, de Croton, d'Oyster River — la rivière des huîtres — de Wiscasset, de Thomaston, de Woolwic, de Saint-George, de Névagan, en tout une vingtaine d'Anglais ou traitants des petits comptoirs disséminés dans les fjords de la baie de Muscongus, de la rivière. Damariscotta et l'entrée du Kennebec. Les jumelant souvent, leurs voisins ennemis avec lesquels, lorsqu'on ne s'entre-tuait pas, on échangeait les ustensiles de ménage et le lait des quelques rares vaches, les Français acadiens colons ou pêcheurs, un Dumaresque ou un Galatin de l'île des Cygnes, où ils cultivaient fleurs, moutons et pommes de terre aux côtés des descendants directs d'Adam Winthrop de Boston, des Hollandais envoyés de Campdem, et même un vieil Ecossais chenu de l'île Monegan, l'île de la Mer, l'orgueilleuse, avec ses falaises de granite, la plus isolée du golfe — un Mac Gregor qui était venu avec ses trois fils et dont les plaids de tartan colorés flottaient là-bas dans les rafales du vent, à l'autre bout du cap.

Aux Anglais et Hollandais, l'Etat du Massachusetts avait expressément recommandé de s'adresser au comte de Peyrac si un jour ils avaient besoin de protection dans leurs lointains établissements de cette sauvage côte du Maine, infestée de Français et d'Indiens sanguinaires, où il fallait être un peu fou pour se risquer.

Les Acadiens, eux, suivaient le mouvement du baron de Saint-Castine.

Les Ecossais, eux, n'en faisaient qu'à leur tête.

Bref, ils étaient tous là.

Une fois encore, songeant à Angélique, Peyrac maudit les femmes, dont les caprices, parfois charmants mais surgissant le plus souvent à contretemps, viennent troubler et compliquer l'œuvre des hommes.

Puis, se ressaisissant, il marcha au-devant de ses hôtes, encadré par sa garde d'Espagnols en cuirasse et morions d'acier.

Le baron de Saint-Castine l'escortait. Le grand chef Mateconando vint à sa rencontre dans sa plus magnifique robe de daim brodée de coquillages et de poils de porc-épic. Il coiffait ses longs cheveux gras, oints d'huile de loup-marin, d'un chapeau plat et rond de satin noir, à petit rebord, garni d'une plume d'autruche blanche qui datait d'au moins cent ans.

L'un de ses aïeux l'avait reçu de Verrazano lui-même. L'explorateur florentin au service du roi français François Ier, passant par là avec sa nef de cent cinquante tonneaux, avait été l'un des premiers à nommer ce pays l'Arcadie à cause de la beauté de ses arbres. Le nom, un peu déformé, en était resté par la suite.

Sur ce couvre-chef d'un seigneur du XVIe siècle, la candeur liliale de la plume d'autruche, à peine jaunie, témoignait du soin avec lequel les Indiens, pourtant si sales et négligents, avaient conservé la relique.

Le plus grand des chefs ne le portait sur sa tête qu'en des occasions solennelles.

Au chef Tarratine, Joffrey de Peyrac offrit une épée damasquinée d'or et d'argent, quelques étuis garnis de rasoirs, ciseaux et couteaux, dix brasses de « rassades » bleues.

En échange, le sauvage lui remit quelques écailles de nacre et une poignée d'améthystes.

Geste symbolique de l'amitié.

— Car je sais que tu n'es pas avide de fourrures, mais seulement de notre alliance.

« Comprenez-vous, avait dit Saint-Castine à Peyrac, je veux éloigner mes Indiens de la guerre, sinon dans quelques décennies ces gens-là n'existeront plus. »

Le grand chef Tarratine posait sur le baron Saint-Castine une main affectueuse et un regard admiratif.

De taille moyenne et même petite, mais d'une vigueur incroyable, agile, endurant, prompt, sensible, Saint-Castine avait gagné le dévouement de toutes les tribus côtières.

— J'en ferai mon gendre, confia Mateconando à Peyrac, et plus tard il me succédera à la tête des Etchemins et des Mic-Macs.

10

« Angélique!... pourvu qu'il ne lui soit rien arrivé! J'aurais dû l'emmener avec moi... Saint-Castine m'a pris au dépourvu. Je ne devrais jamais me séparer d'elle, ni jour ni nuit, pas un instant... Ma précieuse, ma folle chérie... Elle a eu trop longtemps une vie libre. Dès qu'on l'abandonne à elle-même, son indépendance renaît... Je dois lui faire comprendre les dangers qui nous entourent. Cette fois, je me montrerai sévère... Et maintenant, il faut écarter ce souci... Je dois me recueillir... Je ne peux décevoir ces hommes qui sont venus à moi.

Je comprends ce que veut me demander en leur nom ce jeune Saint-Castine... Un garçon remarquable!... qui voit juste... Mais qui connaît les limites de ses propres forces... Ce qu'il me demande?... N'est-ce pas une tâche sinon trop lourde, tout au moins irréalisable... Un rôle semé d'embûches... »

Le comte de Peyrac méditait, assis à même l'herbe drue, devant l'abri d'écorces qu'on avait dressé pour lui.

La cérémonie, le festin, la tabagie achevés, il s'était retiré à l'écart, disant qu'il désirait être seul quelques heures. Il fumait, les yeux fixés vers l'extrémité du promontoire où, par moments, le choc violent d'une vague plus haute mettait un panache blanc.

Au front chevelu des rivages, l'océan venait se heurter, éclaboussant de son écume les pins, les cèdres, les chênes, les hêtres rouges gigantesques et parfois, quand le vent tournait, le sous-bois soufflait une haleine embaumée, aux parfums de jacinthe et de fraises sauvages.

Joffrey de Peyrac fit signe à Don Juan Fernandez, le grand hidalgo qui commandait sa garde. Il le pria d'aller chercher le baron français. Mieux valait dialoguer avec l'enthousiaste Gascon passionné de son sujet que de rester seul, car sans cesse la pensée d'Angélique traversait son esprit comme une pointe aiguë d'appréhension et n'aboutissait à rien de bon.

Le baron de Saint-Castine le rejoignit avec

empressement et s'assit à ses côtés. En habitué du pays, il tira son calumet de ses basques et fuma aussi. Puis il se mit à parler. Leur conversation fut surtout un monologue de sa part, où passait tout un monde, avec ses rêves, ses projets, ses menaces...

La pluie avait cessé. Mais la brume errait et les feux du campement y tremblaient comme de grandes orchidées rouges épanouies, échelonnées loin sur la côte. Toute lueur se doublait d'un halo.

Avec le crépuscule, la mer se prit à mugir plus profondément, mêlant son appel à celui des oiseaux qui, en essaim, s'engouffraient dans l'estuaire.

C'étaient des pomarins, aux longues ailes brunes d'hirondelles, au bec de rapaces.

— Il y a eu tempête au large, dit le baron en suivant des yeux leur vol. Ces petits pirates ne cherchent l'abri de la terre que lorsque la trop grande agitation des flots ne leur permet plus de s'y poser.

Il aspira une grande bouffée d'air et, décelant les effluves délicats de la forêt, il soupira profondément. L'été allait venir, et l'été, par ici, c'était aussi la venue des pires ennuis.

— Voici le moment où les morutiers de toutes nations vont nous envahir, dit-il, et les boucaniers de Saint-Domingue. La peste soit de ces pilleurs! Ils risquent moins qu'avec l'Espagnol en arraisonnant nos pauvres navires arrivant de France pour ravitailler nos établissements d'Acadie. Dieu sait pourtant qu'ils sont rares, ces navires! Il faut encore qu'on nous les enlève sous le nez. Une sale engeance, ces flibustiers de la Jamaïque.

— Barbe d'Or?

— Celui-là, je ne le connais point encore.

— Je crois avoir entendu parler de lui lorsque j'étais dans la mer des Caraïbes, dit Peyrac en fronçant les sourcils dans un effort de mémoire. Juste à mon dernier voyage par là-bas. On parlait de lui parmi les gentilshommes d'aventure comme d'un bon marin, un meneur d'hommes... Il eût mieux fait de rester aux Iles.

— Des bruits courent disant que c'est un corsaire français qui a acquis récemment en France des lettres de marque d'une riche société fondée pour combattre les huguenots français où qu'ils se trouvent. Cela expliquerait l'attaque contre vos gens de Gouldsboro. Ceci est assez dans le ton de notre administration de Paris. La dernière fois que je m'y suis rendu, j'ai vu que de plus en plus on y jouait sa carrière sur un signe de croix, et cela complique singulièrement notre tâche en Acadie...

— Vous voulez dire qu'on devrait se souvenir que les premiers fondateurs étaient des protestants...

— Et que le très catholique Champlain ne fut tout d'abord que le cartographe de Pierre de Guast, sieur de Monts, Huguenot notoire.

Ils se sourirent. Ils étaient heureux de sentir qu'ils se comprenaient en tout à demi-mot.

— Ces temps sont loin, dit Saint-Castine.

— Et s'éloignent de plus en plus... Votre information m'intéresse, baron, je commence à mieux comprendre l'acharnement de ce pirate contre Gouldsboro, pourtant bien caché. S'il s'agit d'une mission sacrée, comment aurait-il pu être informé?

— Les nouvelles vont vite. Il n'y a pas trois Français pour cent lieues par ici, mais au moins parmi eux un espion pour le roi... et les jésuites.

— Soyez prudent, mon fils.

— Vous riez? Moi, cela ne me fait pas rire. Je voudrais vivre en paix ici avec mes Etchemins et mes Mic-Macs. Les gens de Paris et les corsaires à leur solde n'ont pas le droit de venir par ici. Ils ne sont pas de la Baie.

» La Baie?... J'aime encore mieux les Basques, chasseurs de baleines, ou les pêcheurs malouins qui empuantissent nos côtes avec leurs sécheries de morues. Mais eux, au moins, ils ont droit de cité en Acadie. Ils y venaient déjà il y a cinq cents ans... Mais leur eau-de-vie et leurs débauches avec les sauvagesses... Oh! là là! quel désastre!... A tout prendre, j'aime encore mieux les navires bostoniens, avec lesquels on peut du moins troquer fer et étoffes... Mais il y en a trop, beaucoup trop de leurs bateaux.

(Il eut un geste qui englobait l'horizon.)

» Des centaines... des centaines de bateaux anglais, partout, partout. Bien armés, bien équipés. Et par là-bas, Salem, leur grand centre de sécherie, et puis la poix, le goudron, la térébenthine, cuirs verts, fanons et huile de baleine et de loup-marin... Quatre-vingt mille à cent mille quintaux d'huile par an qu'ils font... Ça pue, mais ça rapporte... Et l'on me demande de tenir l'Acadie française en main... De la conserver au roi avec mes quatre canons, mon castel en bois de soixante pieds sur vingt, trente résidents, et de concurrencer l'Anglais en pêcherie avec mes quinze chaloupes...

166

— Vous n'êtes pas si pauvre, dit Peyrac. On raconte que vos affaires de pelleterie marchent bien.

— Soit, je suis déjà riche, j'en conviens. Mais ce sont MES AFFAIRES... Et si je veux être riche, c'est pour mes Indiens, pour les stabiliser, les faire prospérer. Les Etchemins forment le plus important contingent de mes tribus, mais j'ai aussi des Mic-Macs de la tribu des Tarratines. Ce sont des Souriquois du Canada, les mêmes que ceux de la baie de Casco, apparentés aux Mohicans. Je parle tous leurs dialectes, cinq ou six... Voilà Etchemins, Wawenok, Pénobscot, Kanibas, Tarratines, c'est mon lot, les meilleurs parmi les Abénakis. C'est pour eux que je veux être riche, pour les soigner, les civiliser, les protéger... Oui, les protéger, ces guerriers fous et admirables.

Il aspira quelques bouffées de sa pipe. Et de nouveau son bras s'étendit vers l'obscurité frangée d'écume, en direction de l'ouest.

» Tenez, par là-bas, dans la baie de Casco, je possède une île que j'ai conquise aux Anglais il y a peu de temps. Ce n'était pas seulement pour les en chasser, mais cette île avait une légende. Elle se trouve à l'entrée du Présumpscot, dans les parages de Portland, au sud de la baie de Casco. Elle a été depuis des temps immémoriaux pour tous les Mohicans, Souriquois et Etchemins le lieu d'un Paradis ancien, car, disent-ils « si vous avez dormi une fois sur cette île, vous ne serez plus jamais le même qu'avant ». Aux mains de cultivateurs anglais depuis plusieurs générations... Les Indiens souffraient de ne plus pouvoir s'y réunir pour leurs fêtes ancestrales, lorsque la chaleur d'août rend insupportable l'arrière-pays. Alors, je l'ai conquise. Je l'ai rendue aux Indiens.

» Quelle joie! Quel délire! Quelle fête! Mais si la paix ne se maintient pas, à quoi bon tant d'efforts?

— Croyez-vous que la paix soit menacée?

— Je le crois, j'en suis certain. C'est pourquoi j'ai voulu hâter votre rencontre avec Mateconando et vous ai ainsi pressé. Oui, depuis le traité de Bréda, cela va comme ci, comme ça. J'avais déjà organisé quelque chose : tous les Anglais qui voulaient commercer sur la côte depuis Sabadahoc jusqu'à Pémaquid et même plus loin sur la Baie Française devaient payer tribut aux populations riveraines. Moyennant cela, on oubliait que le Massachusetts avait droit de regard par le fait du traité. Mais la paix va être rompue. Le père d'Orgeval, ce Croisé des temps antiques, a rassemblé les Abénakis du Nord et de l'Ouest qui sont fils de la forêt et presque aussi redoutables que les Iroquois. Et le grand Piksarett, leur chef, le meilleur chrétien que missionnaire ait jamais suscité sur cette terre, qui peut en venir à bout? Terrible!... La guerre est imminente, monsieur de Peyrac.

» Le père d'Orgeval la veut et il l'a bien préparée. Je suis certain qu'il est venu ici avec des ordres et des directives du roi de France même pour réveiller le conflit contre les Anglais. Cela arrangerait notre souverain, paraît-il. Et il faut reconnaître que ce religieux est le plus redoutable homme politique que nous ayons eu jusqu'ici dans ces contrées. Je sais qu'il a envoyé un de ses vicaires, le père Maraîcher de Vernon, en mission secrète en Nouvelle-Angleterre et jusqu'au Maryland pour y rechercher des prétextes de rompre la trêve, et sans doute n'attend-il que son retour pour déclencher l'offensive. Et, il n'y a pas longtemps, j'ai reçu la visite du père de Guérande qui venait me prier de me joindre à leur croisade avec les tribus de mes amis. J'éludais la réponse. Certes, je suis gentilhomme français, officier et homme de guerre, mais...

Il ferma subitement les yeux avec douleur.

— Je ne peux plus voir ça.

— Voir quoi?

— Cette hécatombe, cette immolation, ce continuel massacre de mes frères, cette extinction irrémissible de leur race.

Quand il disait « mes frères », Peyrac n'ignorait pas qu'il parlait des Indiens.

— Certes, il est si facile de les entraîner dans une guerre : ils s'emballent si vite et sont faciles à tromper. Vous savez comme moi, monsieur, que la plus grande passion des sauvages est la haine implacable qu'ils portent à leurs ennemis et surtout aux ennemis de leurs amis : c'est leur code d'honneur. Par nature, ils ne savent pas vivre en paix. Mais j'ai déjà vu mourir trop d'entre eux que j'aimais et pour quel but?...

» Vous pouvez comprendre, vous, cela que je ne peux dire à personne... Nous sommes trop loin du soleil, ici. Vous comprenez ce que je veux dire? Nous ne pouvons pas, d'ici, éclairer le roi. Oubliés, seuls... L'administration du royaume ne se souvient de nous que lorsqu'il s'agit de toucher les dividendes sur les fourrures ou de nous réclamer des troupes contre les Anglais pour les jésuites et leurs guerres saintes. Mais ce n'est pas vrai que nous appartenons à la France. Personne n'appartient à personne, par ici en Acadie. Toutes ces îles, ces presqu'îles, ces recoins ne sont peuplés que d'hommes libres. Français, Anglais, Hollandais, Nordiques, pêcheurs ou traitants, nous sommes tous embarqués dans la même galère : fourrures et morues, troc et cabotage. Nous sommes des gens de la Baie Française, des gens des rivages de l'Atlantique... Avec les mêmes intérêts, les mêmes besoins. Il faudrait se grouper *sous votre égide!*

— Pourquoi la mienne?

— Parce qu'il n'y a que vous, dit Saint-Castine avec ardeur. Il n'y a que vous qui soyez fort, invulnérable, avec tous et hors de tous cependant. Comment m'expliquer? Nous savons que vous êtes ami des Anglais, et pourtant je suis certain que si vous vous rendiez à Québec, vous mettriez tout ce beau monde dans votre poche. Et même... Voyez-vous, nous autres Canadiens, nous sommes sans doute courageux et lucides, mais il nous manque une chose que vous avez : un sens politique. En face d'un père d'Orgeval, nous ne pesons guère. Vous seul... vous seul pouvez lui tenir tête.

— L'ordre des jésuites est un ordre très puissant, le plus puissant de tous même, dit Peyrac d'une voix neutre.

— Mais... vous aussi!

Joffrey de Peyrac tourna à demi la tête pour observer son interlocuteur. Visage maigre et jeune mangé par des yeux ardents, cernés de bleu, qui lui donnaient quelque chose d'efféminé, c'est peut-être pour cela qu'on trouvait qu'il ressemblait à un Indien, car ceux-ci, imberbes, offrent parfois dans le dessin de leurs traits une certaine ambiguïté. Chez lui, c'était le raffinement d'une vieille race indomptable où se sont mélangés Ibères et Maures et, qui sait — on le dit — de lointains ancêtres asiatiques. Un sang analogue coulait dans les veines de Peyrac, qui devait sa haute taille, plutôt rare chez un Gascon, à l'ascendance anglaise de sa mère.

Vers l'aîné, le baron de Saint-Castine tendait un visage anxieux.

— Nous sommes prêts à nous grouper sous votre bannière, monsieur de Peyrac...

Peyrac continuait de l'observer, le sondait comme s'il ne l'entendait pas. Ainsi, tout un peuple s'en remettait à lui, par cette voix jeune où chantait l'accent de Guyenne, leur province natale.

— Comprenez-moi, ah! comprenez-moi, répéta la voix. Si la guerre se poursuit et renaît sans cesse, elle nous dévorera tous.

» Et, en premier, les plus vulnérables, nos Indiens, nos amis, nos frères; nos parents... Oui, nos parents : chacun de nous en Acadie a un beau-père, des beaux-frères, belles-sœurs, cousins, là-bas dans la forêt, il faut le dire. Nous sommes liés à eux, liés par le sang des femmes indiennes que nous avons aimées et épousées. Et bientôt, moi-même, j'épouserai Mathilde, ma petite princesse indienne. Ah! quel trésor, monsieur, que cette enfant...

» Mais ils mourront tous si nous ne les protégeons de leurs élans belliqueux... Car un jour les Anglais se lasseront d'être sans cesse égorgés. Les Anglais de nos côtes, certes, n'aiment pas la guerre. Ils sont lents à s'émouvoir. Ils ne haïssent que le péché. Il faudra encore beaucoup de scalps à la ceinture des Abénakis pour les décider à se rassembler les armes à la main. Mais alors, Dieu nous préserve! Ils sont lents à s'ébranler, mais, quand ils se décident, ils font la guerre comme on laboure... Pesamment... Méthodiquement... sans passion... sans haine, vous dis-je, mais comme un devoir, un devoir religieux... Ils nettoieront l'aire que le Seigneur leur a donnée... Ils extermineront mes Etchemins et mes Souriquois jusqu'au dernier, comme ils ont exterminé les Péquots il y a quarante ans et les Narrangasett il y a peu... jusqu'au dernier, vous dis-je, jusqu'au dernier! »

(Il criait presque).

» Naturellement, j'ai essayé d'expliquer cela à Québec, mais, baste! ils disent que les Anglais sont des couards et qu'il faut les rejeter à la mer, balayer la côte d'Amérique de toute la vermine hérétique, protestante... C'est peut-être vrai. Les Anglais sont couards, mais aussi tenaces et trente fois plus nombreux que nos Canadiens, et la peur peut les rendre terribles, traîtres et rusés... Je les connais, les Englishmen, j'ai eu assez affaire à eux, j'en ai assez scalpé dans les combats. Oui, personne ne peut me reprocher d'être un mauvais officier français, j'ai plus de cent chevelures d'Anglais qui sèchent aux murs de mon fort de Pentagoët, que j'ai conquises, rassemblées avec mes Indiens dans nos combats contre les établissements de la Baie... Il y a deux ans, nous avons été presque jusqu'à Boston; si notre roi nous avait seulement envoyé un seul bateau de guerre, nous l'aurions conquis. Mais il n'a pas un geste pour « son » Acadie française...

Il s'arrêta, essoufflé.

Puis, sur un ton de prière pathétique :

— Vous le ferez, n'est-ce pas, monsieur? Vous nous aiderez? Vous m'aiderez à sauver mes Indiens?...

Le comte de Peyrac avait posé son front dans sa main et voilait son regard.

Il lui semblait qu'il n'avait jamais souhaité d'une façon aussi aiguë la présence d'Angélique à ses côtés.

Qu'elle fût là! Qu'il pût la sentir contre lui! Une douce et féminine présence miséricordieuse. Silencieuse, profondément, comme elle savait si bien l'être parfois, d'une façon subtile et mystérieuse qui n'appartenait qu'à elle.

Compréhensive dans son silence! Compatissante.

Clairvoyante aussi.

Sa femme rachetait par sa présence tous les crimes et toutes les horreurs évoqués.

Il releva la tête, affrontant le destin.

— Soit! dit-il, je vous aiderai.

11

Le brouillard traînait sur l'estuaire si dense ce jour-là que les cris aigus des oiseaux de mer s'y étouffaient, voguant à travers les écharpes fumeuses de la brume comme les appels inquiets d'âmes en peine.

Sur le chemin du retour, vers Houssnok, Joffrey de Peyrac allait se séparer de Saint-Castine, lorsqu'ils aperçurent un navire remontant le Kennebec avec des allures de fantôme. Poussé mollement par un vent alourdi, le vaisseau passa près d'eux avec un froissement de soie. C'était un petit navire de commerce ou de course de cent vingt à cent cinquante tonneaux et son plus haut mât, où flottait une flamme orangée, dépassait à peine la cime aiguë des grands chênes centenaires qui bordaient la rive. Il passa et disparut comme un rêve, mais un peu plus tard, derrière le brouillard, ils entendirent le bruit de la chaîne d'ancre qui se déroulait. Le navire mettait en panne. Et quelqu'un vint à eux par le sentier mal tracé du bord de l'eau. Un marinier, en son maillot rayé de rouge et de blanc, la ceinture garnie de coutelas.

— L'un de vous n'est-il pas le seigneur de Peyrac?

— C'est moi-même.

L'autre rejeta en arrière son bonnet de laine dans un geste de salut bref.

— Un message à vous porter de la part d'un vaisseau que nous avons croisé dans la baie au large de l'île Seguin avant de nous engager dans le courant de Dresden.

» Au cas où on vous rencontrerait, qu'ils ont dit, c'était le yacht *Le Rochelais.* Mme de Peyrac était à bord et vous fait dire qu'elle joint Votre Seigneurie à Gouldsboro.

— Oh! fort bien! s'exclama Peyrac, très soulagé. Quand avez-vous fait cette rencontre?

— Hier, un peu avant le coucher du soleil.

On était mercredi. Ainsi donc, se dit-il, Angélique avait mené à bien son équipée un peu inconsidérée au village de Brunschwick-Falls. *Le Rochelais*, qui croisait par là, avait pu l'embarquer comme convenu. Sans doute des raisons particulières de cargaison ou de vents avaient obligé Corentin Le Gall, le capitaine, à repartir.

Rassuré sur le sort de sa femme et de son fils, le comte ne se préoccupait pas d'un retard possible pour lui. Il trouverait d'autres moyens de joindre lui-même rapidement son fief de Gouldsboro. Pas un instant il ne soupçonna que l'homme rencontré lui mentait, car ces tromperies-là sont rares dans le monde de la mer.

— Revenez avec moi sur Pentagoët, lui proposa le baron de Saint-Castine. Sans doute le chemin de terre est encore boueux et encombré de branches cassées par le dégel. Mais nous irons encore plus rapidement que par mer, s'il vous faut attendre un bon navire ou vous contenter de vos barques restées à Houssnok, qui feront leur chemin en prenant leur temps.

— L'idée est bonne, convint Peyrac... Holà! l'homme!

Il rappelait le marin, dont la silhouette s'éloignait dans le brouillard.

— Voici pour vous, lui dit Peyrac en lui mettant dans la main une poignée de perles.

Le matelot sursauta et le regarda, bouche bée.

— Des perles roses, des perles de « lambi ». Celles des Caraïbes...

— Oui... Vous en ferez toujours quelque chose, je gage. Il n'est pas donné à tous d'en posséder.

L'homme paraissait décontenancé par la splendeur du cadeau.

— Merci, monseigneur, balbutia-t-il enfin.

Il fit plusieurs courbettes précipitées et, regardant Peyrac, une lueur d'effroi naquit dans son regard.

Il les quitta comme s'il s'enfuyait.

Joffrey de Peyrac saurait plus tard que l'homme avait menti.

12

La demeure de George Shapleigh sur la baie Maquoit n'était qu'une cabane vétuste de rondins et d'écorces, éboulée par le vent, à l'extrémité d'un promontoire aux cèdres penchés.

La barrière qui fermait l'enclos méritait à peine le nom de palissade. Mais Angélique et ses Anglais avaient mis presque un jour à franchir les trois lieues qui séparaient l'Androscoggi de cette presqu'île effilée, et l'abri leur parut bon.

Une vieille Indienne grasse, qui vivait là et qui était peut-être la mère de l'Indien accompagnant le vieux médecin, leur servit une purée de citrouilles, et ils mangèrent des clams, gros coquillages à la chair rosée et savoureuse, ressemblant aux palourdes bretonnes ou aux praires. Il y avait aussi dans la cabane quantité de remèdes : poudres, herbes et baumes dans des boîtes d'écorce. Angélique entreprit de soigner les blessés et les malades.

Si fleuris que fussent les bois avec l'étoile d'argent de la trientala, la starflower, ponctuant partout l'herbe tendre, et malgré les roucoulements doux des tourterelles et des ramiers, leur marche avait été éprouvante. Il fallait soutenir et encourager les pauvres Anglais épuisés, harassés, blessés, terrifiés. Plus encore que les esprits mauvais qu'ils craignaient de rencontrer en traversant les marécages, elle, Angélique, redoutait pour sa part de voir surgir encore d'autres sauvages bariolés et hurlant, la hache levée.

Vingt cadavres allongés dans un vallon fleuri, le crâne sanglant, abandonnés aux oiseaux de proie tournoyant, que serait-ce de plus en ce printemps-là où près de trois mille guerriers partirent à l'assaut des établissements de la Nouvelle-Angleterre, en ravagèrent plus de cinquante, massacrèrent plusieurs centaines de colons...

Champs de fleurs chatoyantes, cornouillers duveteux, ancolies d'un rouge corail dressées sur leurs hampes fragiles à l'ombre des chênes admirables, pour des siècles les abords de la ravissante rivière Androscoggi raconteraient une histoire terrible.

Ici, c'était la mer.

Au delà du promontoire s'ouvrait la baie de Casco avec ses innombrables îles.

La mer s'insinuait partout à travers rocs et forêts, et l'on sentait sa saveur de sel et de goémon dans le vent plus vif tandis que les appels des loups-marins sur les plages se mêlaient à l'ample murmure du ressac.

Autour de la cabane, il y avait un petit champ de maïs, des courges et des haricots, et au bord de la falaise, sous un bouquet de saules courts, des ruches qui commençaient à s'éveiller.

Pendant deux jours, on attendit l'apparition d'une voile. Puis un Indien Sheepscot, ami de Shapleigh, passa par là, annoncer que vers Sabadahoc ils n'avaient vu aucun navire de Blancs.

Que faisait *Le Rochelais*? Où se trouvait Joffrey? Angélique s'impatientait, et son imagination lui montrait la ruée des Abénakis, sur la rive est du Kennebec, déferlant jusqu'à Gouldsboro.

Et si le baron de Saint-Castine avait attiré Joffrey de Peyrac dans un piège? Non, c'était impossible. Joffrey l'aurait pressenti... Mais elle-même, son instinct n'avait-il pas été mis en défaut!... sournoisement endormi... N'avait-elle pas ri du pauvre Adhémar lorsqu'il criait avec désespoir : « Ils font leurs chaudières de guerre!... et pour égorger qui? »

Adhémar semblait avoir l'esprit complètement perdu. Il marmonnait des chapelets et regardait autour de lui avec égarement. En fait, cette fois encore, il avait raison. En cette pointe solitaire d'une région perdue, ils étaient aussi à l'écart, aussi oubliés que sur une île déserte. Et, malgré cela, leur isolement ne les protégeait pas entièrement de sauvages rôdant, qui auraient voulu s'offrir leurs scalps.

En d'autres temps, les plus valides d'entre eux auraient pu entreprendre d'essayer de gagner à pied un établissement quelconque de la côte anglaise du Maine qui pullulait de petites colonies et y trouver une barque. Mais, aujourd'hui, la plupart de ces hameaux de bois flambaient. S'en aller vers l'ouest, c'était marcher vers le couteau du rouge égorgeur.

Autant demeurer à l'écart, se faire oublier, misérables êtres à peau blanche échoués sur cette côte horrible et cruelle d'un continent farouche. Ils avaient au moins un toit sur la tête, des médications pour les malades, des légumes, coquillages et crustacés pour se rassasier, et un bout de palissade pour se donner une illusion de protection. Mais leur dénuement en armes angoissait Angélique. Hors le tromblon du vieux Shapleigh aux munitions restreintes, le mousquet d'Adhémar sans poudre ni balles, ils n'avaient que des coutelas et couteaux personnels.

Le soleil était revenu.

Angélique chargea Cantor d'observer l'horizon afin de repérer les voiles jouant à cache-cache entre les îles, et qui pourraient s'approcher d'assez près pour qu'on leur fît des signaux. Mais les navires semblaient fuir vers d'autres buts. Avec leurs voiles blanches ou brunes gonflées sur le bleu cru des flots ils avaient, ces vaisseaux vus de si loin, sourds aux appels et aux gestes, comme un comportement humain, une indifférence qui serrait le cœur.

Nonobstant la méfiance que lui inspiraient les tribus de la région, l'Abénakis Piksarett avait continué de surveiller de loin en loin ses prisonniers — ou considérés par lui comme tels. En fait, il paraissait plutôt veiller sur eux. Durant leur marche vers la côte, on l'avait vu surgir pour porter un enfant n'en pouvant plus.

Puis, quand ils furent à la cabane, il vint et déversa devant eux une calebasse de tubercules sauvages que les Anglais appréciaient et nommaient : *patatoes.*

Cuites sous la cendre, elles avaient un goût savoureux, moins sucré que celui des patates douces ou des topinambours. Il apporta aussi des lichens aromatiques et un saumon géant qu'il fit griller lui-même sur un bâton.

Quand les trois sauvages arrivaient, le géant indien en tête, les pauvres gens de Brunschwick-Falls se reculaient précipitamment.

Séchaient encore à la ceinture des Patsuikett les chevelures fraîchement arrachées aux crânes de leurs parents et amis.

Après avoir échangé quelques mots, Piksarett et ses acolytes se retiraient dans les bois, mais souvent, lorsqu'elle sortait pour guetter l'horizon, Angélique apercevait, de l'autre côté du fjord, Piksarett et ses deux compagnons rouges perchés sur la cime des arbres et observant elle ne savait quoi dans la baie. Ils lui faisaient des signes et lui lançaient des plaisanteries, dont elle ne comprenait que quelques bribes, mais qu'elle devinait amicales.

La désinvolture de ces sauvages, leur versatilité, à la fois dangereuse et rassurante, il fallait s'y habituer et s'évertuer à vivre avec eux comme en la familiarité de fauves que seules subjuguent la transcendance et la valeur réelle de leur dompteur. Pour l'instant, elle n'avait rien à craindre d'eux.

Une défaillance, alors oui : elle pouvait tout craindre.

Piksarett lui avait présenté ses deux guerriers qui portaient des noms fort simples à retenir : Tenouïenant, ce qui veut dire : Qui-connaît-bien-les-choses, est-rompu-aux-affaires, et Ouaouenouroue, c'est-à-dire qui-est-rusé-comme-un-chien-pour-la-chasse.

A tout prendre, elle préféra les nommer par leurs noms de baptême catholique qu'ils lui avaient annoncés fièrement, soit : Michel et Jérôme. Et ces prénoms benoîts leur allaient aussi peu bien que possible, accolés à leurs faces « matachiées » — du rouge autour de l'orbite gauche, première blessure, du blanc sur l'autre œil pour la clairvoyance, une terrible barre noire en travers du front pour effrayer l'ennemi, du bleu au menton, doigt du Grand-Esprit, etc. — le tout surmonté et encadré de barbares buissons de cheveux entremêlés de plumes et de fourrures, de rosaires et de médailles.

La poitrine nue tatouée et peinte, le pagne de peau flottant au vent, souvent pieds nus, oints de graisse, harnachés de leurs armes, ils s'avançaient vers elle lorsqu'elle les hélait.

« Michel! Jérôme! »

Et elle se retenait d'éclater de rire, saisie d'une sorte d'attendrissement à leur vue.

Il y avait dans la langue de ces gens-là un diable d'accent impossible à saisir, presque un accent anglais! N'avait-elle jamais pu prendre Piksarett au sérieux que par la seule faute de son patronyme cocasse : « Piksarett, chef des Patsuikett. » Mais, disait-il, ce n'est même pas cela.

A l'origine, du fait de son caractère joyeux, il était le Piouerlet, c'est-à-dire celui-qui-entend-le-badinage, mais ses exploits guerriers avaient fait évoluer son nom vers Pikasou'rett, soit l'Homme-Terrible, et les Français disaient Pitksarett pour faciliter les choses.

Enfin, Piksarett, soit!

Depuis le jour où elle s'était dressée entre lui et l'Iroquois blessé (1) et lui avait offert, en échange de la vie de l'ennemi, son manteau couleur d'aurore, avait commencé l'aventure de leur insolite amitié. Alliance qui suscita les échos de la chronique du temps, étonna, scandalisa, atterra, indigna.

Angélique ne savait pas encore le rôle que Piksarett jouerait dans son existence prochaine, mais il ne lui faisait pas peur.

Il devenait parfois rêveur, semblait répondre à une question informulée.

— Oui, affirmait-il, nous avions décidé de traiter avec les Englishmen, mais après les Français sont revenus. Pouvais-je laisser ceux qui m'ont baptisé dans l'ennui?

Et passant la main sur son collier de médailles et de croix :

— Le baptême nous réussit à nous Wonolancet, alors qu'il a fait le malheur des Hurons. Presque tous sont morts de variole ou par des massacres par les Iroquois. Mais nous autres, nous sommes des Wonolancet... Ce n'est pas pareil!

Le vieux Shapleigh se montrait aussi bavard

(1) Lire dans la même collection *Angélique et le Nouveau Monde*, *T. I* et *T. II* 679 *** et 680 ***.

avec Angélique. Il avait découvert sa connaissance des plantes. Il l'enseignait volontiers et se disputait avec elle lorsqu'elle ne le suivait pas dans ces croyances particulières. Ayant examiné la pharmacopée qu'elle emportait dans son sac de voyage, il lui reprochait d'employer la belladone, l'herbe du diable, car elle avait poussé dans le jardin d'Hécate.

En revanche, il aimait particulièrement l'aurôme mâle, « une herbe superbe sous l'influence de Mercure et digne de plus d'estime qu'on ne lui en accorde ».

Car les astres et leurs pouvoirs étaient aussi enfermés dans ces boîtes. Il professait qu'un morceau de cuivre, un brin de verveine, une colombe sont « vénusiens ».

Et à propos du chardon béni :

— C'est une herbe de Mars qui, sous le signe d'Ariès, guérit les maladies vénériennes, par antipathie pour Vénus qui les gouverne. J'en vends beaucoup aux gens des navires. Ils viennent en chercher sous prétexte qu'ils ont la peste à bord, mais je sais ce que cela veut dire...

Avec cela, redevenant soudain authentiquement savant, il donnait un nom latin à presque toutes les herbes de sa connaissance, et elle trouva parmi ses grimoires, au fond d'un vieux coffre, un exemplaire du livre *Herbarum virtutibus*, de Aemilius Maces, et un autre du remarquable « Regimen sanitatis salerno »... des trésors!

Deux jours passèrent ainsi. Ils étaient là, quasi naufragés, dans l'incertitude de leur sort.

Vers le sud-ouest, lorsqu'il faisait clair, se devinait la ligne incurvée de la côte. De là s'élevaient des houppes grises, lentement diluées dans l'atmosphère à la douceur trouble qui règne sur la baie, bleue et rose et laiteuse. Une fine porcelaine...

Ces taches grises trahissaient les incendies allumés par les torches indiennes...

Freeport, Yarmouth et tous les hameaux environnants brûlaient. Portland était menacé.

Tout cela fort lointain. Trop lointain pour qu'on pût deviner le grouillement des fuites éperdues à travers le golfe. Les voiles aux longs déplacements naissaient et s'effaçaient, et n'étaient qu'un vol blanc de plus mêlé à ceux incessants des mouettes, des cormorans et des pétrels.

Il y avait tant d'oiseaux ici que, malgré la lumière éclatante de juin, on se trouvait à tout instant plongé dans une sorte de crépuscule par le passage de milliers d'ailes traversant le ciel en nappes, en rideaux et qu'attiraient les bancs de morues, de harengs, de thons, de maquereaux venus frayer dans ces eaux de la grande baie du Massachusetts qui est comme une corne d'abondance ouverte d'une part à l'Atlantique et close à l'autre bout par la riche et terrible Baie Française (1), aux marées gigantesques.

Le troisième jour de leur présence à la pointe de Maquoit, Cantor dit à sa mère :

— Si demain aucun navire, aucune barque ne jette l'ancre dans ce coin maudit, je m'en vais à pied. Je vais suivre la côte en marchant vers l'est. En me cachant des sauvages, en trouvant un canoë par-ci par-là, pour franchir les passes et les

(1) Aujourd'hui baie de Fundy.

deltas, je finirai bien par atteindre Gouldsboro. Seul, j'attirerai moins l'attention que si nous étions en caravane.

— Ne te faudra-t-il pas des jours et des jours pour mener à bien une telle expédition?

— Je marche aussi vite qu'un Indien.

Elle approuva son projet. Bien qu'elle ressentît une profonde appréhension à la pensée de le voir s'éloigner. Sa jeunesse vigoureuse, déjà pliée aux contingences insolites de la vie américaine, lui était un réconfort.

Mais il fallait faire quelque chose. On ne pouvait pas rester ainsi indéfiniment à attendre un problématique secours.

Ce soir encore, elle poursuivait son guet, favorisé par la clarté du crépuscule.

Les oiseaux criards s'abattaient aux estuaires des fleuves. La brume ouatée, impalpable, se dissipait.

La baie de Casco s'endormait dans une sérénité éblouissante.

La mer, plaquée d'or, présentait comme des joyaux ses îles aux reflets de topaze brûlée, bleu de soufre, noir de jais. Il y en avait trois cent soixante-cinq, disait-on, autant que de jours de l'année.

La clarté baissait encore. L'or se ternissait. La mer devenait d'un blanc blafard et glacé, tandis que peu à peu la terre et ses méandres s'anéantissaient dans une ombre opaque.

L'odeur du golfe montait jusqu'à eux, drainé par un vent rêche.

Le paysage était de bronze et d'airain.

Vers l'est, à la pointe de Harpwells, juste après que le soleil eut disparu, Angélique aperçut un navire. On l'eût dit d'or dans la dernière lueur que lança l'astre du jour. Presque aussitôt elle ne le vit plus.

— N'avait-il pas un tibia géant à la proue? cria le vieux *medecin's man*. Je parierais qu'il abaissait les voiles, préparant le retour au port. Je le connais. C'est le navire fantôme qui surgit au bout de Harpwells lorsqu'un malheur est en route pour celui — ou celle — qui l'aperçoit. Et le port où il s'apprête à pénétrer, c'est la Mort...

— Il n'abaissait nullement ses voiles, répliqua Angélique, irritée.

Le jeune Cantor, la voyant presque bouleversée par les paroles du vieux magicien, lui jeta un clin d'œil complice et rassurant.

LE NAVIRE DES PIRATES

1

Le lendemain de cette soirée, dès les premières heures, Angélique, ne pouvant dormir, descendit ramasser des coquillages parmi les rochers que dénudait la marée basse. Sur une plage proche, la colonie des loups-marins s'agitait et poussait des clameurs déchirantes qui éveillaient l'écho des criques.

La jeune femme vint les observer. A l'accoutumée, c'étaient des animaux paisibles. Gauches et lourdauds à terre, leurs corps sombres et luisants étaient, dans l'étincellement des vagues au couchant, d'une souplesse charmante.

Ce matin-là, en s'approchant, elle découvrit la cause de leur turbulence.

Deux ou trois phoques gisaient sur le flanc, morts, déjà couverts par l'ombre tournoyante et jacassante des oiseaux de mer. Ils avaient été assommés brutalement. Parmi leurs congénères, les grands mâles, les maîtres de plage essayaient d'écarter avec colère la gent emplumée et vorace.

Devant ce tableau, Angélique ressentit un sursaut d'alerte, le massacre était l'œuvre d'humains. DES HOMMES ÉTAIENT DONC VENUS...

Et ce n'était pas des Indiens, car ceux-ci ne pratiquent la chasse au loup-marin qu'en janvier, l'hiver.

Le regard d'Angélique erra sur la crique. Un navire, sans doute le vaisseau fantôme, avait mouillé là, cette nuit, dans l'ombre brumeuse.

Elle remonta.

Le soleil ne surgissait pas encore, caché par une barrière de nuages sur l'horizon. Le matin restait d'un bleu originel, pur et calme.

Alors, dans la fraîcheur de l'air, elle perçut l'odeur d'un feu d'herbes, différente de celle de la fumée qui s'échappait de la petite cheminée de cailloux, au-dessus de la cabane. D'un pas léger et rapide, se glissant d'instinct derrière les buissons et les troncs de la pinède, elle suivit le bord de la langue de terre au-dessus du fjord.

L'odeur de fumée, une fumée de bois vert et d'herbes humides, se fit plus dense.

En se penchant entre les arbres, Angélique aperçut la pointe d'un mât avec sa voile en quenouille. Une embarcation était à l'ancre, cachée par l'un des méandres du long couloir d'eau qui s'enfonçait à l'intérieur des terres.

D'en bas, gonflant ses volutes paresseuses, la fumée montait bleue et opaque, amenant avec elle un murmure de voix.

Angélique s'allongea à terre et s'avança jusqu'au rebord de la faille. Mais elle ne put apercevoir ceux qui bivouaquaient en dessous, sur l'étroite bande de gravier, rongée d'algues. Leurs voix seulement se firent plus proches. Des mots français et portugais. Voix rudes et grossières.

En revanche, elle découvrit entièrement le bateau qui n'était, en fait, qu'une simple barque, une chaloupe.

2

Revenue à la cabane, elle fit rentrer les enfants qui, remis de leur fatigue, commençaient à s'ébattre en se lançant une petite balle de crin.

— Il y a des hommes qui boucanent là-bas, dans la crique. Ils ont une barque où nous pourrions trouver place, au moins huit à dix. Mais je ne suis pas certaine que ces hommes nous offriront passage généreusement.

Elle n'augurait rien de bon d'individus qui massacraient sans nécessité des bêtes innocentes et sans les ramasser même...

Cantor alla à son tour surveiller le point indiqué et revint en disant qu'il « les » avait aperçus, qu'ils étaient cinq ou six, pas plus, et de l'espèce des écumeurs de mer qui hantent les rivages de l'Amérique du Nord à l'été pour y quérir un butin, peut-être moins fabuleux, mais moins coriace à conquérir que celui des navires espagnols.

— Il nous faut cette barque, insista Angélique, ne serait-ce que pour aller chercher du secours.

Elle s'adressait surtout à Cantor et à Stougton.

Celui-ci restait le seul homme valide et qui pût l'aider à prendre une décision.

Le pasteur, en proie à une forte fièvre, était dans une demi-inconscience. Corwin, blessé, souffrait beaucoup et concentrait ses forces pour se retenir de jurer à cause du voisinage du pasteur. Les deux valets, costauds et taciturnes, étaient prêts à tous les coups de main, mais ne pouvaient être d'aucun conseil. Le vieux Shapleigh se désolidarisait de ses hôtes. Lui devrait les quitter ce soir ou demain pour aller dans la forêt, car la nuit approchait où l'on doit cueillir la verveine sauvage.

Quant à Adhémar, c'était un irresponsable.

Restaient Stougton, laboureur sans imagination mais courageux, et Cantor, fils de gentilhomme, dont la courte vie était déjà riche d'expériences. Angélique, dans son fils, faisait confiance à la sagesse de la première adolescence, période où se mêlent chez l'enfant une prudence instinctive, la connaissance de ses forces et une audace déjà virile.

Cantor se faisait fort de capturer cette chaloupe à la barbe des boucaniers, de la conduire de l'autre côté du promontoire, où le reste de la compagnie s'embarquerait.

A ce point de la discussion, Angélique se leva et alla ouvrir la porte. Elle sut aussitôt ce qui l'avait attirée au-dehors.

Le cri de l'engoulevent s'élevait, répété, sonore, insistant.

Piksarett l'appelait.

Elle courut jusqu'au bord de la presqu'île et, sur l'autre rive, au sommet d'un chêne noir, elle aperçut l'Indien qui, à demi dissimulé dans le feuillage touffu, lui adressait des signes véhéments.

Il indiquait quelque chose au-dessous d'elle.

Elle baissa les yeux, regarda vers la grève et son sang se glaça. S'accrochant aux touffes de genévrier et aux pins rabougris qui poussaient dans les fentes de la falaise, des hommes grimpaient.

C'était sans nul doute les flibustiers de la chaloupe, et lorsque l'un d'eux, se devinant surpris, leva vers elle sa face de pirate, elle vit qu'il avait un couteau entre les dents.

Eux aussi avaient dû constater qu'ils avaient des voisins en ces lieux perdus, et, pilleurs invétérés, ils venaient pour les surprendre.

Se voyant découverts dans leur attaque surprise, ils poussèrent d'affreux jurons et précipitèrent leur escalade.

Le regard d'Angélique tomba sur les ruches, près d'elle. Avant de s'enfuir, elle se saisit de l'une d'entre elles, et comme les flibustiers émergeaient sur le rebord du plateau, d'un geste prompt, elle lança vers eux la ruche et son essaim bourdonnant.

Ils reçurent le tout en plein front et poussèrent aussitôt des cris épouvantables.

Elle ne s'attarda pas à les voir se débattre contre la nuée noire et furieuse des abeilles.

Tout en courant, elle avait dédaigné son couteau aiguisé. Bien lui en prit car les bandits s'étaient partagés en deux partis.

C'est ainsi qu'elle vit se dresser entre elle et la demeure de John Shapleigh une sorte de polichinelle ricanant, vêtu d'oripeaux et coiffé d'un tricorne à plumes d'autruche rouges. Il brandissait un gourdin.

Il devait être un peu ivre ou bien croyait-il qu'une femme ne pouvait en rien être redoutable. Toujours est-il qu'il se rua vers elle, et, comme elle se dérobait à son coup de bâton qui siffla dans l'air, il trébucha et vint littéralement s'empaler sur la lame effilée qu'elle brandissait de son mieux au-devant d'elle pour se défendre.

Il poussa un cri rauque et elle éprouva, un bref instant, sur elle son haleine puante de buveur de rhum aux dents gâtées. Ses mains crispées sur le corps d'Angélique se détendirent. Il faillit l'entraîner dans sa chute. Glacée d'horreur, elle le rejeta d'une bourrade, et elle le vit s'effondrer à ses pieds, les mains crispées sur son ventre. Les yeux chassieux du scélérat exprimaient un immense étonnement.

Sans commettre l'imprudence de se préoccuper plus longtemps de son sort, Angélique rejoignit en trois bonds la demeure de Shapleigh dont on boucla aussitôt la branlante palissade.

3

— Y perd ses. tripes!

Le cri lugubre montait dans le soir pur de juin qui s'étirait longuement sur la baie de Casco.

— Y perd ses tripes!

Un homme, là-bas, derrière les buissons, en hélait un autre, et les Anglais et Français, assiégés dans leur cabane bien barricadée, entendaient le cri se prolongeant en une clameur dolente et tragique.

La journée, si mal commencée, s'achevait à égalité. Angélique et les Anglais, d'une part, peu armés sans doute, mais aux aguets à l'abri derrière leurs murs de rondins, et les pirates de l'autre, féroces et agressifs, mais désormais malades comme des bêtes et nantis par surcroît d'un blessé qui perdait ses tripes.

Par malheur pour Angélique et ses compagnons, ils s'étaient réfugiés près du ruisseau proche de la maison afin d'y baigner leur visage et leurs membres tuméfiés par les piqûres d'abeilles.

Ainsi postés là, ils ne laisseraient pas sortir un habitant de la cabane. Ils clamaient des injures puis recommençaient à gémir. On ne les voyait pas, mais on les devinait derrière le rideau d'arbres et on les entendait se plaindre.

Et, lorsque la nuit fut venue, leurs gémissements, soupirs et cris de douleur emplissaient l'air à intervalles réguliers, et avec les cris des loups-marins en bas sur la plage, cela faisait une mélopée à vous dresser le poil.

Le clair de lune bientôt vint inonder l'alentour. La mer s'argenta et toute l'escadre des îles, d'un noir d'encre, parut appareiller vers des lointains blancs.

Vers le milieu de la nuit, Angélique grimpa sur un escabeau et déplaça une tuile du toit afin de regarder du dehors et considérer la situation de plus haut.

— Ecoutez, là-bas, matelots, cria-t-elle en français, d'une voix haute et claire.

Elle vit bouger les ombres des pirates.

— Ecoutez donc, on peut s'arranger. J'ai des remèdes ici qui soulageront vos souffrances. Je peux panser votre blessé...

» Approchez jusqu'à deux toises de la maison et jetez vos armes. Nous ne voulons pas votre mort. Seulement la vie sauve et le prêt de votre barque. En échange, on vous soignera.

Le silence lui répondit tout d'abord. Suivit un chuchotement confus qui se mêlait aux rafales du vent.

— On vous soignera, répéta Angélique. Sinon, vous allez mourir. Les piqûres d'abeilles, cela ne pardonne pas. Et votre blessé, sans soins, va succomber.

— Tu parles! Succomber... Y perd ses tripes, y va crever, grogna une grosse voix dans la nuit.

— Ça n'est guère bon pour sa santé. Soyez raisonnables. Jetez vos armes, comme j'ai dit. Et j'irai vous soigner.

Dans la nuit, sa voix légère de femme rassurait et semblait venir du ciel.

Pourtant, les pirates ne cédèrent pas tout de suite. Il fallut attendre l'aube.

— Hé, la femme! cria alors quelqu'un, on va venir.

Il y eut un cliquetis d'acier derrière les bosquets et une grosse silhouette titubante apparut, les bras chargés d'un assemblage de coutelas, couteaux, sabres d'abordage, plus une hache et un petit pistolet.

Il posa le tout à quelques pas de la barrière.

Angélique, abritée par le tromblon du vieux Shapleigh et par Cantor tenant le mousquet, vint jusqu'à l'homme. Il était quasiment aveugle sous l'enflure des piqûres d'insectes qui avaient criblé son visage. Son cou, ses épaules, ses bras, ses mains présentaient un aspect boursouflé et tendu.

Shapleigh repoussa en arrière son haut chapeau de puritain et tourna autour de lui en ricanant et le flairant d'un air joyeux.

— *I see... I see! The squash seams to be quite ripe* (la citrouille me semble mûre à point).

— Sauvez-moi! supplia l'homme.

La chemise noircie de taches de sang anciennes, ainsi que le caleçon de toile court qui laissait à découvert des genoux velus présentaient l'accoutrement d'un boucanier authentique.

Sa ceinture, où pendaient des étuis à couteaux de toutes tailles, vides pour l'instant, mais multiples, trahissait sans confusion possible qu'il appartenait à la corporation de ces hommes qui, dans la mer des Caraïbes, chassent, tuent, découpent les cochons et les bœufs sauvages des îles, puis, après en avoir boucané la chair, en ravitaillent les navires de passage. Simples bouchers de l'Océan, en fait, et commerçants, si l'on veut, pas plus mauvais que d'autres, mais poussés à la piraterie et à la guerre par l'Espagnol conquérant qui ne tolère pas d'autre présence que la sienne dans les archipels d'Amérique.

Ses compagnons, derrière le bouquet d'arbres,

étaient encore plus mal en point que lui. Un jeune moussaillon, souffreteux et malingre, paraissait sur le point d'expirer. Le Portugais à la face olivâtre présentait l'aspect d'un chou et le dernier, vaguement bistré, d'une coloquinte. Quant au blessé...

Angélique souleva la loque souillée jetée sur lui, et un murmure d'horreur et d'effroi vint aux lèvres des spectateurs. Angélique elle-même eut de la peine à retenir un haut-le-cœur.

La blessure béante avait au moins quinze pouces de long, mais était couronnée d'une hernie énorme constituant comme un nid de serpents se contorsionnant, se boursouflant et se déformant sous les mouvements spasmodiques, comme une vision de cauchemar incarné. Les viscères à nu de l'homme au ventre ouvert!

Tout le monde resta figé, sidéré sur place, sauf Piksarett, soudain survenu et qui se pencha, curieux et amusé, sur l'objet d'horreur.

Angélique, presque immédiatement, eut l'intuition qu'elle pouvait tenter le tout pour le tout. Le blessé, qui n'était pas évanoui mais au contraire lucide et vaguement moqueur, la guettait d'un œil vif sous des sourcils broussailleux. Malgré son teint cireux, les traits profondément creusés, Angélique ne découvrait pas sur cette vilaine face d'ivrogne les stigmates de la mort. Surprenant, mais il semblait décidé à vivre. Le coup n'avait perforé en aucune partie les intestins, ce qui eût entraîné la mort à brève échéance.

Ce fut lui qui attaqua, d'une voix étouffée, et réprimant quelques grimaces :

— *Yes... Milady!*... Pour un coup en vache, on

196

peut pas faire mieux, hein... Du vrai travail d'Egyp-
tienne qui ne pardonne pas, et je m'y connais...
Maintenant, faut me coudre tout ça.

Il avait dû y songer durant la longue nuit
d'agonie, et se persuader peu à peu que la chose
était possible. Un petit bonhomme, qui ne devait
pas manquer d'intelligence, bien que ce fût à n'en
pas douter une fine crapule. On n'avait pas besoin d'observer longtemps son allure et celle de ses
compagnons pour comprendre à quelle catégorie
ils appartenaient tous les cinq. Du rebut d'équipage!

Le regard d'Angélique alla du visage de l'homme,
qui révélait une vitalité diabolique, à la monstrueuse
hernie d'où s'exhalait une odeur putride, tandis
que de grosses mouches commençaient déjà à bourdonner aux alentours.

— C'est bon, décida-t-elle, on va essayer.

4

« J'en ai vu d'autres », se répétait-elle tout
en disposant hâtivement quelques instruments
tirés de sa sacoche sur une planchette dans la
cabane.

Ce n'était pas tout à fait exact... Certes, au cours
de l'hiver à Wapassou, elle avait été amenée à exécuter de véritables opérations de plus en plus diverses et compliquées. L'habileté extraordinaire de
ses doigts déliés, si légers, comme animés d'une
vie propre, l'instinct sûr de ses mains guérisseuses

la poussaient à des expériences qui, pour l'époque et pour le pays, ne manquaient pas de hardiesse.

C'est ainsi qu'au printemps elle avait soigné un chef indien dont la corne d'un orignal avait ouvert une longue plaie tout au long du dos et, pour la première fois en l'occurrence, elle s'était essayée à rapprocher les lèvres de la blessure par quelques points de fil. La cicatrisation avait été foudroyante.

Sa réputation s'était répandue. Et, à Houssnock, une nuée d'indigènes s'étaient présentés pour se faire soigner par la dame blanche du lac d'Argent.

Aux aiguilles les plus fines tirées de la pacotille de traite, les doigts d'horloger de M. Jonas avaient donné une forme demi-courbe qu'Angélique estimait préférable pour le délicat travail demandé. Elle se félicita d'avoir sauvé sa précieuse besace de toutes les péripéties récentes. C'était merveilleux. Elle y découvrait maintes choses nécessaires dans tous les recoins. Dans un sachet, elle trouva une poignée de gousses d'acacia pilées. Cette poudre au tanin salvateur, elle la réservait comme emplâtre, qui éviterait peut-être les humeurs vénéneuses de se répandre dans le corps une fois la blessure close. Il n'y en avait pas assez. Elle montra la poudre d'acacia à Piksarett qui, après l'avoir examinée et reniflée, fit un sourire entendu et s'élança vers la forêt.

— Occupe-toi de la barque avec un des Anglais, ordonna Angélique à Cantor. Assure-toi qu'elle est en état de prendre la voile avec une partie de notre compagnie. Et restez sur vos gardes et bien armés, quoique ces pauvres brutes ne me semblent guère en état de nuire pour l'instant.

Elizabeth Pidgeon se proposa timidement pour aider Angélique, mais de préférence celle-ci l'envoya pommader les tristes victimes des abeilles. Avec le révérend Patridge à panser, la vieille demoiselle ne manquerait pas de besogne et, consciente de la situation nouvelle, elle choisit le sabre le moins ébréché parmi les armes des pirates et, après l'avoir passé gaillardement à sa ceinture, trottina vers la cabane où Shapleigh commençait à prodiguer ses remèdes accompagnés de force ricanements.

Sous l'arbre, près du blessé, Angélique brossa un galet plat et y disposa son étui à aiguilles, celui à pinces, un flacon de très forte eau-de-vie, des ciseaux, de la charpie, toujours maintenue propre et blanche dans une enveloppe de toile gommée.

Inutile de déplacer l'homme. Ici, l'eau du ruisseau était proche. Elle ranima les braises d'un petit feu, y déposa une marmite de terre avec un fond d'eau, où elle versa la poudre de gousses d'acacia.

Piksarett revenait les mains pleines de gousses. Elles étaient encore vertes. Angélique en saisit une, y porta la dent et fit une grimace en recrachant la sève verte et astringente. Bien que fort désagréable à la bouche, ce n'était pas encore la saveur du tanin parvenu à maturité, qui avait un goût d'encre métallique et possédait les propriétés inestimables de pouvoir resserrer les plaies, les cicatriser, combattre des purulences dangereuses, et enfin, par son pouvoir tonique et vivifiant, éviter les suppurations qui rendent les blessures, même saines, si longues à guérir. Ces gousses vertes seraient moins efficaces.

— Il faudra s'en contenter.

Elle allait les mettre à bouillir lorsque Piksarett l'arrêta.

— Laisse faire Maktera, dit-il.

Il désignait la vieille Indienne, servante ou compagne de l'Anglais médecin. Elle semblait connaître la valeur de la plante. Elle s'accroupit près du feu et se mit à mâcher les gousses, les disposant ensuite en cataplasmes sur de larges feuilles, et Angélique la laissa faire car elle savait — le vieux sorcier du camp des Castors près de Wapassou le lui avait enseigné — que c'était, ainsi préparé, que le remède donnait toute sa mesure.

Et elle revint vers son patient, dont les yeux, toujours ouverts, luisaient à la fois d'espoir et de terreur en la voyant s'agenouiller à son chevet et pencher vers lui son visage encadré de cheveux lumineux, avec une telle expression de résolution concentrée qu'il défaillit, et il y eut dans son regard de vieux forban un éclair pathétique.

— Doucement, la belle, chuchota-t-il d'un timbre affaibli. Avant de commencer, faut s'entendre. Si tu me rapetasses, et que je me retrouve un jour sur la quille, tu vas pas exiger qu'on rende nos armes et qu'on te cède not' vieux rafiot? C'est tout ce que ce salopard de Barbe d'Or nous a accordé pour rester en vie en ce foutu bled. Alors, des fois, tu vas pas être pire que lui?

— Barbe d'Or, fit Angélique dressant l'oreille. Vous faites donc partie de son équipage?

— On faisait, tu veux dire... C't'enfant d'salaud

200

nous a débarqués ici avec même pas de la poudre à suffisance pour se défendre contre les bêtes fauves, les sauvages et les gens comme vous autres de la côte; qu'on sait bien que c'est tous des naufrageurs...

— Taisez-vous maintenant, dit Angélique, conservant son calme, vous êtes trop bavard pour un moribond... Nous parlerons plus tard.

Il s'était épuisé, et toute sa chair blafarde paraissait se retirer dans les creux de l'ossature du visage pour lui composer déjà un masque de tête de mort, avec un cercle rouge autour des yeux saillants.

Mais ce bord sanguinolent de la paupière parlait pour sa résistance finale. « Il vivra », pensa-t-elle. Et elle serra les lèvres. Elle penserait ensuite à ces histoires de Barbe d'Or.

— Il est trop tôt pour poser vos conditions, messire, reprit-elle tout haut. Nous ferons ce que nous voudrons de vos armes et de votre barque. Bienheureux si vous restez en vie.

— De toute façon... faudra des jours... pour le rafistoler... le rafiot... souffla l'autre, ne capitulant pas.

— Vous aussi, faudra des jours pour vous rafistoler, tête de bois. Et maintenant, gardez vos forces, mon gars, soyez calme.

Et elle posa sa main sur le front flasque poissé de sueur.

Elle hésitait à lui faire boire une potion calmante, précisément à base de cette belladone que Shapleigh n'aimait pas. Rien ne serait assez fort pour dominer les douleurs humaines de l'intervention.

— Un bon grog, gémit le blessé, un bon grog bien brûlant avec la moitié d'un citron dedans, en boirai-je une dernière fois?...

— L'idée n'est pas mauvaise, remarqua Angélique. Cela l'aidera à supporter le choc. Ce flibustier est si complètement imbibé de rhum que c'est peut-être cela qui le sauvera... Hé, maraud, dit-elle au boucanier valide qui était revenu près d'eux, n'auriez-vous pas la valeur d'une pinte de rhum à disposition?

Le gros approuva dans la mesure où ses boursouflures douloureuses lui permettaient de hocher la tête. Accompagné d'un Anglais, il se rendit jusqu'à leur campement de la crique et revint avec une fiasque de verre noir à long col, à demi pleine d'un des meilleurs rhums des îles, si on pouvait en juger à l'odeur qui se répandit quand Angélique en eut fait sauter le bouchon.

— Nous y voilà, fit-elle. Avale cela, mon gars, et tant que tu pourras jusqu'à ce que tu voies tourner le ciel comme une toupie.

Parce qu'elle le tutoyait subitement, il comprit que l'heure était grave.

— Ça va faire mal, râla-t-il.

Et, avec un regard éperdu :

— Y a-t-il un confesseur dans ce foutu bled?

— Moi, dit Piksarett en bondissant à genoux. Je suis chef catéchiste de la Robe Noire et je suis chef de toutes les tribus abénakis. Aussi le Seigneur m'a-t-il choisi pour distribuer le baptême et les absolutions.

— Seigneur Jésus, un sauvage, c'est le bouquet ou je deviens fadingue! s'exclama le blessé, et il perdit connaissance, soit de saisissement ou de trop d'efforts soutenus, on ne sait.

— C'est mieux ainsi, dit Angélique.

« Je laverai la plaie, songea-t-elle, à l'eau tiède additionnée d'essence de belladone. »

Elle prit près d'elle un petit morceau d'écorce en forme de goulotte qui lui permettrait de mieux diriger le filet d'eau versé par la calebasse que tenait Piksarett. Elle se pencha vers la monstrueuse chose béante.

Au premier contact, si léger fut-il, le blessé tressaillit et chercha à se dresser. Il fut retenu par les mains vigoureuses de Stougton.

Angélique fit coucher le grand boucanier en travers des cuisses de son camarade, face contre le sol, et l'Indien de Shapleigh maintint les chevilles. Comme cela n'allait pas, le blessé revint à demi à lui et supplia qu'on lui soulevât la tête, ingurgita encore quelques lampées de rhum, puis, à demi inconscient, se laissa attacher les poignets à des piquets fichés en terre. Angélique roula un morceau de charpie en boule et le lui introduisit entre les dents, puis soutint la nuque d'un rondin de paille, veillant à ce que la respiration par les narines se fît facilement.

De l'autre côté, s'était agenouillé le vieil Anglais médecin. Il avait ôté son grand chapeau et le vent remuait ses cheveux blancs et bouclés. Ce fut lui qui, d'office et comprenant sans paroles ce qu'elle désirait comme aide, saisit les pinces de roseaux et posa les premières prises destinées à rapprocher les bords de la plaie. C'était à peu près impossible d'y parvenir complètement, mais, d'un coup sec et décidé, Angélique planta l'aiguille dans les chairs apparemment flasques et pourtant coriaces et résistantes et ses doigts les maintenaient tandis que, d'un mouvement de poignet imperceptible mais qui exigeait une vigueur et dextérité peu communes, elle amenait le fil suiffé, puis nouait la boucle. Elle travaillait vite, régulièrement, sans hésitation, penchée, entièrement immobile, à part le mouvement inexorable de ses deux mains habiles. Le vieux John la suivait, l'aidant des pinces ou de ses doigts quand les pinces cédaient sous la poussée des chairs torturées.

Le malheureux martyr restait prostré, mais son corps était parcouru par des tressautements continuels et gênants, et par instants, à travers le bâillon, on entendait sourdre un râle terrible qui semblait être le dernier. Alors, la grappe des intestins puants, visqueux et bougeant sans cesse saillait, de nouveau prête à jaillir, et il fallait la renfoncer à l'intérieur comme une bête qu'on étouffe. Les volutes blanchâtres et violacées des viscères continuellement ressortis par les interstices formaient de multiples hernies et faisaient craindre à chaque moment un éclatement ou une perforation qu'Angélique savait devoir être fatale. Mais le chapelet d'entrailles tint bon et la dernière suture fut nouée.

L'homme était comme mort.

Angélique attrapa l'emplâtre de tanin que lui passait l'Indienne, en couvrit toute la surface du ventre et serra fortement les pans d'une bande de toile, qu'avant de commencer elle avait glissée sous les reins du patient.

Ainsi sanglé, Tête de Bois n'avait plus qu'à s'accommoder de nouveau de ses tripes vagabondes remises en bonne place, et il fallait espérer qu'elles entendraient définitivement raison.

Angélique se redressa, le dos rompu. Le travail avait duré plus d'une heure.

Elle alla laver ses mains au ruisseau. Puis revint, rangea tout.

On entendait dans la crique des coups de maillet. La barque serait prête au départ avant son misérable capitaine.

Angélique de Peyrac souleva la paupière du blessé, écouta le cœur. Il vivait toujours. Alors, le considérant du bout de ses pieds crasseux et couverts d'oignons à sa tignasse inculte, elle ressentit un élan de sympathie pour ce triste rebut d'humanité dont elle venait de sauver la misérable existence.

5

Tout le monde, et surtout les malades et les blessés ne pouvaient pas prendre place à bord de la chaloupe des flibustiers remise en état de navigation. Le choix de ceux qui partiraient ou resteraient donna lieu à des débats de conscience dont Angélique devait, une fois de plus, assumer la direction.

Il était évident que Cantor, plié aux arts de navigation, devait prendre le commandement pour mener la barque à Gouldsboro. Les hommes, Stougton et Corwin, élevés sur les rivages, l'aideraient à la manœuvre et il était logique qu'ils partissent avec leur famille au complet. Leurs engagés, de plus, ne voulaient pas les quitter. Ils mourraient de peur sans leurs maîtres, ne sauraient plus que devenir au monde. Cela remplissait déjà la barque, et l'on ne pouvait envisager d'y allonger les malades nécessitant des soins. Angélique avait compris dès le premier instant qu'elle serait contrainte de demeurer près de ceux-ci, et jamais le sens de ses responsabilités ne lui avait autant coûté. Mais comment abandonner à leur sort des mourants, aussi bien l'énorme Patridge que les flibustiers empoisonnés par les abeilles, et son opéré miraculé. Cantor poussa des hauts cris. Il lui répugnait extrêmement de laisser sa mère en si misérable et dangereuse compagnie.

— Tu te rends pourtant bien compte, lui dit-elle, qu'on ne peut prendre aucun malade. Ils gêneraient la manœuvre, exigeraient des soins qu'on ne pourrait leur donner à bord, risqueraient de mourir en route.

— Eh bien! qu'ils restent ici avec le vieux Shapleigh qui les soignera.

— Shapleigh m'a dit qu'il partirait dans la forêt un de ces soirs très proches, et qu'il ne peut retarder son voyage à cause de la lune. Je crois surtout qu'il ne tient pas à demeurer en tête-à-tête avec cette canaille des Caraïbes...

— Et vous-même, ne courez-vous pas de grands dangers en leur compagnie?

— Je sais me défendre. Et d'ailleurs, ils sont malades comme des bêtes.

— Pas tous. Il y en a un qui reprend bon pied, bon œil et dont le regard ne me dit rien qui vaille.

— Eh bien! Voici la solution. Tu vas prendre celui-là à ton bord, Corwin et Stougton le surveilleront jusqu'à ce que vous ayez pu vous en débarrasser dans une quelconque île de la baie de Casco. Ensuite, vous cinglerez au plus vite vers Gouldsboro. Et, avec un bon vent, il se peut que je te voie revenir sur *Le Rochelais* d'ici moins de huit jours. Il ne peut m'arriver rien de bien grave d'ici là...

Elle voulait s'en persuader, et Cantor finit par admettre qu'il n'y avait pas d'autre solution à envisager.

Plus vite on lèverait la voile, plus vite on se retrouverait tous en famille, à l'abri des murs de Gouldsboro, qui apparaissait à leurs yeux comme le havre de paix et la fin de toutes les inquiétudes. A Gouldsboro, il y avait des armes, des richesses, des hommes, des navires...

Ils n'étaient maintenant plus que huit à la pointe du cap, sur la Maquoit Bay.

Depuis deux jours, la barque des flibustiers, dûment gréée de ses voiles et gouvernée avec maîtrise par Cantor, s'était glissée hors de la crique et, penchée comme une mouette sous le vent, s'était faufilée derrière les dernières îles.

Elle emportait donc les familles Corwin et Stougton, leurs engagés, la petite Rose-Ann et l'un des flibustiers le moins malade, dont on essaierait de se débarrasser sur une des îles à la première occasion. Il avait longuement parlé dans son jargon avec ses compagnons, avant de partir.

Le petit Sammy Corwin, mal guéri de ses brûlures, était resté ainsi que le révérend Thomas, trop faible, et miss Pidgeon avait voulu demeurer aux côtés de son pasteur. Adhémar avait hésité à s'embarquer aussi, mais sa peur de la mer et des Anglais avait prévalu et, tout calcul fait, il avait préféré rester près d'Angélique, dont il se disait que, pour des raisons diaboliques ou non, elle devait avoir un certain pouvoir de protection. Angélique l'employait à chercher du bois, de l'eau, des coquillages ou à éventer les malades que tourmentaient les moustiques. En fait, la chaloupe n'aurait pu embarquer une personne de plus et il avait fallu la sauvage impudence de Wolverines le glouton, se précipitant comme une grosse loutre dans le sillage de Cantor, pour qu'on lui trouvât une place à bord.

Angélique se sentait liée à la geignante carcasse de son opéré qui s'obstinait à survivre et qui se nommait Aristide Beaumarchand, comme l'en avait informé l'un de ses amis. « Ni beau ni bon marchand, je parierais, avait dit Angélique en haussant les épaules. Tête-de-Bois ou Ventre-Ouvert, voilà qui lui va mieux. »

Ce matin-là, le révérend Patridge ouvrit les yeux, dit que c'était dimanche, et demanda la Bible afin de préparer son sermon. On crut qu'il délirait sous les effets de la fièvre, on voulut le calmer, mais il tempêta et répéta si énergiquement qu'on était dimanche, le jour du Seigneur, qu'il fallut bien se rendre à l'évidence : on était dimanche.

Une semaine s'était écoulée depuis l'attaque du petit village anglais.

Et Angélique gardait l'espoir que des navires de Joffrey de Peyrac croisaient encore à l'embouchure du Kennebec. Cantor aurait peut-être la chance d'en rencontrer un. Un bon, solide et grand vaisseau, protégé de gros canons, où sur la mer libre on pourrait se reposer et revenir en toute paix chez soi.

Quel bonheur!

Mais deux jours déjà et rien ne paraissait à l'horizon.

D'une voix chevrotante, Elizabeth Pidgeon lisait la Bible au pasteur. L'écoutaient aussi, d'un air soupçonneux et rogue, les deux boucaniers malades. Ceux-là, il fallait bien les soigner, mais l'on n'était guère pressé de les voir reprendre des forces. Le troisième, le plus grand et le plus solide, allait du chevet de Ventre-Ouvert à celui de ses deux autres camarades couchés dans la cabane et tenait avec eux de longs conciliabules dans un sabir assez inaudible. Son allure dolente des premiers jours se raffermissait. Il était gigantesque, lourd et inquiétant.

— Surveille-le, disait Angélique à Adhémar. Sinon, il va réussir à récupérer un de ses couteaux et nous le planter dans le dos.

Il montrait une sollicitude sincère pour l'opéré.

— C'est mon frère, disait-il.

— Vous ne vous ressemblez guère, constata Angélique, comparant la taille d'ogre de l'un à la silhouette malingre qui se devinait sous les couvertures.

— Nous sommes frères de la Côte. Nous avons échangé nos sangs et nos profits depuis près de quinze ans.

Et, avec un sourire hideux dans son visage déformé par les piqûres d'abeilles :

— C'est p't'être ben pour ça que je ne vous

égorgerai point... Parce que vous avez sauvé Aristide...

Il lui fallait veiller la nuit. Elle avait tendu au-dessus du blessé une toile, moins pour le protéger du soleil que l'arbre tamisait que de la rosée nocturne, ou des pluies subites qui parfois tombaient, ou même des volées d'embruns, que le vent à marée haute apportait jusqu'à eux.

Elle le veillait, tenace, attentive, surprise de voir la guérison s'installer dans ce corps condamné, et si passionnante était la réussite entrevue qu'à certains moments elle aimait presque ce pauvre Aristide.

Le soir même de l'intervention, il avait ouvert les yeux, réclamé du tabac et un grog « avec un citron entier... que tu m'éplucheras, Hyacinthe... ».

S'il n'avait pas eu son grog et son citron, qu'elle remplaçait par du bouillon de poissons bien passé, il n'en reprenait pas moins vie à toute allure.

Et le fameux dimanche survenu, où déjà le pasteur Thomas avait commencé de ressusciter...

— Je vais vous aider à vous asseoir, dit Angélique au blessé.

— M'asseoir, tu veux ma mort?

— Non, il faut faire circuler votre sang pour qu'il n'épaississe pas. Et je vous interdis de me tutoyer, maintenant que vous êtes hors de danger.

— Ah! Non! mais quelle femme!

— Venez m'aider, vous, le boucher des Côtes.

A deux, ils le saisirent sous les bras, le hissèrent et le soutinrent dans la position assise. Il était blême et couvert de sueur.

— Du brandy! Du brandy!...

— Adhémar, apporte le flacon.

Quand il eut bu, il parut mieux; elle l'accota contre un tas de sacs recouverts de peaux de bêtes et le considéra longuement avec satisfaction.

— Et voilà, Tête-de-Bois! Il ne vous reste plus qu'à p... et ch... comme tout le monde, et vous êtes un homme sauvé.

— A la bonne heure, vous, fit-il, au moins vous avez votre franc-parler... Z'ont raison ceux qui racontent que vous êtes sortie de la cuisse du Diable... Parce que c'est vrai, ça!

Il essuya son front moite. Elle lui avait rasé sa barbe pleine de vermine et il avait désormais l'aspect inoffensif d'un petit épicier malmené par sa femme et ses créanciers.

— J'suis plus rien à côté de Barbe d'Or, gémissait-il. Voilà l'affaire...

Elle l'aida à s'étendre de nouveau, et plus tard quand il se fut reposé :

— Parlons un peu de ce Barbe d'Or, reprit-elle, et de ceux qui disent que je suis sortie de la cuisse du Diable.

— Oh! moi, je n'y suis pour rien, se défendit-il.

— Savez-vous donc qui je suis?

— Pas très bien, mais Barbe d'Or le sait, lui. Vous êtes la Française de Gouldsboro qu'on dit sorcière, liée à un magicien qui fabrique de l'or avec des coquillages.

— Et pourquoi pas avec du rhum! fit Angélique gravement. Ça vous arrangerait, hein?

— Voilà en tout cas ce que jaspinent les marins que nous avons rencontrés dans la Baie Française. Entre marins, on doit se faire confiance.

— Des marins comme vous sont plutôt des forbans. D'abord, les marins n'emploient pas votre jargon.

— Parlez alors pour nous deux si vous voulez, dit le Ventre-Ouvert d'un air digne et offensé, mais pas pour Barbe d'Or. C'est un Monsieur, lui, pardon !... Et de plus le meilleur marin qu'on puisse rencontrer autour du globe. Vous pouvez me croire quand je vous le dis, parce que, à part ça, vous avez vu comme il nous a traités, c't'enfant d'salaud, en nous débarquant, en nous abandonnant comme des « marrons », pour ainsi dire sans vivres et sans armes dans ce pays de sauvages. Il disait qu'on déshonorait son vaisseau.

Le Portugais, un peu désenflé, qui se trouvait dans les parages, approuva :

— Oui, ça, Barbe d'Or, je le connais depuis plus longtemps que toi, chef, depuis Goa et les Indes. Je me suis brouillé avec lui à cause de cette histoire de Gouldsboro, mais je regretterai toujours.

Angélique passait et repassait ses doigts dans ses cheveux. Le vent les rabattait sur ses yeux et elle ne cessait de les repousser.

Elle essayait de rassembler ses idées, mais ce vent étourdissant l'embrouillait et elle n'arrivait pas à nouer deux raisonnements ensemble.

— Voulez-vous dire que vous saviez qui j'étais et que *j'étais là*, quand Barbe d'Or vous a laissés dans la crique ?

— Non, ça, on ne le savait pas, fit Beaumarchand. Ça, c'est le hasard. Le hasard qui fait le clin d'œil aux braves gars comme nous quand ils sont dans la m... C'est pas la première fois que le hasard vient nous tirer de là par la dernière mèche du crâne, pas vrai, Hyacinthe?

— Mais comment avez-vous su que j'étais là? insista-t-elle, impatiente.

— Bédame! quand on s'est aperçu qu'il y avait du monde sur la falaise, on s'est rapproché, on a écouté et quand on a compris que c'était vous, la Française de Gouldsboro, la comtesse de Peyrac, vous qui étiez là avec une bande d'English, alors, vrai, on croyait que notre chance était venue.

— Pourquoi donc, votre chance?

— Bédame! Barbe d'Or disait qu'il avait des ordres pour le comte et la comtesse de Peyrac, qu'il fallait le tuer, lui, et la capturer, elle...

— Rien que cela?... et des ordres de qui?

Le cœur d'Angélique faisait des bonds dans sa poitrine. Son ivrogne avait ceci d'intéressant que, bavard comme une pie et toujours entre deux lampées d'alcool, il parlait à tort et à travers.

6

Pourtant, à cette question, il répondit par une moue d'ignorance.

— C'est depuis qu'il était allé à Paris avant sa dernière campagne des Caraïbes. Pour faire signer ses lettres de courses par le ministre. Il y était allé avec toi, hein, Lopez?

Le Portugais hocha la tête, affirmatif.

— Et qui ça « lui »? Qu'on devait tuer, insista Angélique.

— Ben, l'homme avec qui vous êtes, le comte, celui qui fait de l'or avec des coquillages.

— Le tuer! Et c'est pour cela que vous avez essayé de m'attraper?...

— Bédame! Mettez-vous à notre place. Et maintenant que vous m'avez décousu et recousu, je le sais bien, allez, que vous êtes sorcière.

Il lui fit un clin d'œil dans lequel elle ne put définir s'il y avait de la complicité ou de la méchanceté. Et il eut un rire sardonique et muet.

— Pourquoi alors votre capitaine vous a-t-il débarqués? interrogea-t-elle.

— On n'était pas d'accord sur la répartition du butin; c'est pas des affaires de femme, même sorcière, dit Aristide avec hauteur.

— Je pense plutôt que vous dépariez dans son équipage, si c'est un Monsieur, comme vous dites, fit Angélique.

Des cinq flibustiers qui s'étaient trouvés sur la grève, il n'était pas besoin de grand examen pour affirmer que tous n'étaient que de la racaille. De l'espèce que Joffrey de Peyrac avait dû faire pendre aux vergues de son navire au cours de son dernier voyage.

Touché au vif, l'opéré se renferma dans un silence digne.

— Qu'allait donc faire votre Barbe d'Or à Gouldsboro? insista Angélique.

Il ne pouvait rester digne et muet bien long-temps.

— Voyons, faut pas être louf : prendre posses-sion de ses terres, pardi!

— ?...

— Pas la peine d'ouvrir des mirettes comme des plats à barbe, ma belle. Je vous ai dit déjà que le sieur Barbe d'Or, c'est un corsaire qui a tout ce qu'il faut comme lettres de marque déli-vrées par le ministre, sa compagnie de Paris et même par le gouvernement de La Tortue. Mais encore — le blessé levait un index doctoral — mais encore il a obtenu et acheté en concession au roi de France toute la terre qui se trouve de la pointe des Montagnes bleues à la baie de Goulds-boro.

— Vous m'en direz tant! s'exclama Angélique.

— C'est une idée qu'il a toujours eue en tête, Barbe d'Or, tout marin qu'il soit. S'installer avec des compagnons sur un coin de terre pour faire pousser du blé français. Voilà pourquoi j'étais pas d'accord avec lui ni Lopez. Moi, je tiens à bour-linguer jusqu'à ce que les requins me bouffent, et c'était donc moi qui avais raison. Lui, Barbe d'Or, tout malin et pistonné par le roi qu'il est, il a vu où ça l'a mené ses grandes idées de colonisation. On lui a tiré des boulets rouges dans ses œuvres vives... Sont pas commodes, ces gars de Goulds-boro... Notre pauvre *Cœur de Marie*.

— Qu'est-ce cela?

— C'est le nom de notre vaisseau.

Angélique se fit la réflexion que plus les flibus-tiers semblaient malintentionnés et plus ils choi-sissaient pour leurs navires des vocables pieux,

sans doute dans l'espoir d'obtenir la protection...
ou le pardon des esprits célestes.

— Ignorait-il vraiment, votre grand chef, que
la côte avait déjà un propriétaire et du monde
installé dans la place?

— On nous avait dit : Y a des femmes là-bas.
Des femmes blanches, pas des Indiennes. Alors,
dame, ça, ça arrangeait tout. On prendrait la
terre, et chacun une femme pour commencer.
Enfin, de la vraie colonisation, quoi! Bernique! On
a été reçus à coups de boulets rouges, j'vous dis,
et quand on a essayé de débarquer, ces enragés
nous ont taillés en pièces. Le navire prenait du
gîte, ça commençait à flamber. Y avait pu qu'à se
défiler dans les îles comme des péteux. Et mon
Barbe d'Or vénéré, mais bête en fin de compte avec
ses idées de grandeur, avec sa charte sous le bras
et ses projets de labour — terre et femmes — bien
avancé, oui-da...

Il eut un rire rauque qui s'acheva dans une
quinte de toux.

— Ne toussez pas, dit Angélique, sévère.

Elle vérifia si la cicatrice ne se distendait
point.

Une affreuse crapule, cet Aristide, mais, s'il
disait vrai, les renseignements fournis étaient
précieux.

Elle frémissait à la pensée que, sans la défense
énergique des Huguenots à Gouldsboro, ses amies
rochelaises auraient pu tomber entre les mains de
ces misérables.

— Non, Barbe d'Or n'est pas ce que vous croyez,
reprit le malade d'une voix affaiblie mais entêtée,
et comme s'il avait suivi ses pensées. Des lettres

de courses, le soutien du roi comme corsaire sous la bannière fleurs de lys, et des princes pour lui prêter de l'argent, il a tout, je vous dis... Il m'a traité dur, mais sous son pavillon on n'avait pas à se plaindre. Un Monsieur, j'vous dis, que Barbe d'Or. Et quant au quart d'eau-de-vie, tous les jours, exactement comme sur les vaisseaux du roi. On était quelqu'un, qu'est-ce que vous croyez... Z'auriez pas un petit bout de fromage, M'dame?

— Du fromage? Vous êtes fou! Dormez! dit Angélique.

Elle lui ramena sa couverture jusqu'au menton, le borda, essuya sa bouche veule.

« Pauvre Tête-de-Bois! Tête de pioche, tu ne vaux pas la corde pour te pendre. »

Et, malgré les froids rivages, les cris des phoques, la sombre haie de sapins noircissant l'abord des plages, elle évoquait, en le regardant, ces pirates de la Méditerranée et son peuple cosmopolite d'aventuriers. Elle en retrouvait la fascination et la peur...

A Brunschwick-Falls, Mrs William lui avait dit que jadis les plus endurcis de ces gentilshommes d'aventure, qui jetaient l'ancre devant les pauvres villages de colons de Nouvelle-Angleterre, ne leur auraient fait aucun mal; mais ces temps étaient passés. La vie, la richesse en prospérant sur les rivages d'Amérique attiraient maintenant les pillards.

Il faudrait assainir tout cela, policer, ordonner la vie anarchique des rivages et des côtes. Et la haute silhouette de Joffrey se dressait devant ses yeux, sûre, comme si, mêlée à tout ce qui était vie et action, il lui apparaissait comme le mâle principe d'un monde nouveau.

Oh! mon amour... Ils ont dit : Lui, le tuer...

Il ne se laissera pas tuer.

Mais avec la guerre indienne rallumée qui précipitait à travers les baies et les îles une population terrifiée, qui remettrait en question les alliances des royaumes lointains, la tâche s'annonçait confuse, et les vaisseaux malveillants y trouveraient leur complet de rapines. Elle-même, par quels entrelacs hasardeux ou calculés avait-elle été amenée en ces lieux alors que, peu de jours auparavant, elle quittait le fort Wapassou pensant gagner sans encombre prévu leurs terres de Gouldsboro?

— Lopez, dit-elle à voix haute, vous étiez avec ce Barbe d'Or à Paris quand il est venu faire signer ses lettres de courses, et sans doute chercher de l'argent pour armer son bateau. Quel seigneur le protégeait? Qui étaient ses armateurs ou associés? Pouvez-vous me citer un nom?

Le Portugais secoua la tête.

— Non... Je n'étais là-bas que comme son valet. Parfois, d'autres valets portaient des messages. Il y avait aussi...

Il parut réfléchir.

— Je ne sais pas son nom. Mais si jamais un jour vous rencontrez un grand capitaine avec une tache de vin, là, une tache violette qu'il a — il touchait sa tempe — eh bien, méfiez-vous, vos ennemis ne sont pas loin. Service pour service : après tout, sorcière ou pas, mais vous avez sauvé mon copain...

Et voici que le soir encore tombait sur la baie de Casco, laissant traîner une longue lueur orangée là-bas vers l'ouest où la terre s'incline en une longue courbe, plongeant soudain au sud pour enrober comme un immense geste caressant le monde des golfes multiples et les îles de ce vaste cirque bleu de la mer où s'engouffre et vient se jeter par tous les courants du nord, aspirée, la provende bleu et argent des poissons.

Nids à poissons du monde que ces eaux, confluents des grands courants océaniques chaud et froid charriant ses immenses réserves de plancton, attirant le poisson, une infinie réserve pour les pêcheurs du monde depuis la nuit des temps.

Les Malouins y venaient dans leurs chaloupes bien des siècles avant que Christophe Colomb découvrît nos Antilles.

Le printemps faisait pulluler à la surface des flots, comme des fleurs ouvertes des nénuphars géants, les voiles blanches des vaisseaux.

Et plus la nuit tombait, plus Angélique voyait s'allumer des feux rougeoyants à travers l'étendue obscure, mais lointains et évanescents comme des étoiles.

— Y boit pas, bredouillait Aristide près d'elle... Qu'est-ce que vous pensez d'un marin qui boit pas?

— De qui parlez-vous, mon garçon?

— De ce satané Barbe d'Or... Y boit pas, sauf quand il prend une femme. Mais c'est pas souvent.

Les femmes, on dirait qu'il n'aime pas ça... ni
boire. Et pourtant, c'est un homme terrible. A
la prise de Portobello, il a fait marcher les moines
du couvent San Antonio en avant de ses hommes,
comme bouclier. Les Espagnols de la garnison
tiraient dessus en pleurant.

Angélique frissonna.

— Cet homme est un impie!

— Non! Pas tant que vous pensez. On fait toujours la prière à son bord. Et les mauvaises têtes,
il les envoie le temps de réciter vingt chapelets
sur la hune de la civadière.

Angélique, mal à l'aise, croyait voir la barbe
d'or du sanglant flibustier flotter dans la nuit. La
pensée que le navire d'un tel individu avait mouillé
une nuit au pied du promontoire, lorsqu'il était
venu y abandonner ses mutins, lui donnait la
chair de poule.

— Y reviendra, vous verrez, geignit le blessé.

Un nouveau frisson secoua Angélique et le râle
du vent dans les cèdres lui parut sinistre avec
un subit éclair de chaleur, là-bas, sur l'horizon.

— Dormez, l'ami.

Elle ramena les pans de son manteau autour
d'elle. Elle voulait veiller jusqu'au milieu de la
nuit, après quoi, le boucanier, le frère de la Côte,
prendrait le quart. Il était là lui aussi, accroupi
près du feu, massif, le cou dans les épaules, et elle
l'entendait se gratter sa barbe inculte pour calmer
les démangeaisons de sa chair irritée.

Songeant à mille choses et le profil levé vers
les étoiles, elle ne voyait pas qu'il la fixait de ses
yeux luisants. Maintenant qu'il était un peu moins

malade, il éprouvait de drôles de sensations à la regarder, cette femme. Immobile dans son manteau noir comme une statue, avec un visage qui émergeait comme un éclat de lune, mais elle avait toujours une mèche dorée qui lui balayait la joue et qu'elle écartait d'un mouvement de la main. Et ce geste seul évoquait sa beauté opulente cachée, la vigueur de ses formes, qu'il admirait.

— Moi, j'suis pas comme Barbe d'Or, fit-il à voix basse. Les femmes, j'aime bien ça.

Il se racla la gorge.

— Ça ne vous arrive jamais de prendre un peu de plaisir, m'dame?

Elle tourna lentement la tête vers sa forme massive.

— Avec des gens de ton espèce? Non, mon garçon.

— Qu'est-ce qu'ils ont, les gens de mon espèce, qui ne vous revient pas?

— Une face de courge et beaucoup trop laide pour qu'on prenne plaisir à l'embrasser.

— On n'est pas forcés de s'embrasser si ça vous dit rien, fit-il, conciliant. On pourrait faire autre chose.

— Reste à ta place, lui intima-t-elle sèchement, voyant qu'il ébauchait un geste dans sa direction. J'en ai décousu d'autres pour beaucoup moins que ça. Et toi, je ne prendrais pas la peine de te recoudre.

— Ah! vous n'êtes pas commode, grogna-t-il en se grattant de nouveau avec frénésie. Pourtant, c'est une occasion que je vous offre. On est tout seuls, on a le temps. Je m'appelle Hyacinthe...

Hyacinthe Boulanger. Vraiment, ça ne vous dit rien?

— Non, sans t'offenser. C'est la prudence qui me fait parler, Hyacinthe, dit-elle légèrement pour ne pas s'en faire un ennemi. Les équipages qu'on abandonne sur les plages ne sont pas toujours de la première fraîcheur. Rien qu'à te regarder je parierais que tu es vérolé jusqu'aux moelles.

— Ah! non, ça c'est pas vrai, je vous jure, s'écria le boucanier, franchement outragé, si j'ai une tête pareille, c'est à cause de vos satanées ruches que vous nous avez balancées en pleine tronche.

Aristide se plaignit :

— Cessez donc de vous disputer ainsi par-dessus ma tête, comme si que déjà j'étais un maccab.

Le silence retomba.

Angélique se disait qu'il n'y avait pas de quoi en faire un drame. Elle en avait vu d'autres. Mais dans l'état d'anxiété latente où elle se trouvait, le désir de ce sinistre individu, dans la nuit lugubre de cette côte abandonnée battue par les flots, lui causait un malaise et un effroi insurmontables. Elle avait les nerfs à vif et éprouvait l'envie irrésistible de prendre ses jambes à son cou. Elle s'imposa de ne pas bouger aussitôt et de garder une attitude indifférente pour qu'il ne la sût pas effrayée. Puis elle choisit le premier prétexte pour se lever, recommander au boucanier de surveiller le feu et son frère de la Côte, et retourna vers la cabane.

Toute penchée, dans l'éclat des braises, miss

Pidgeon semblait quelque menue sorcière occupée à ses philtres.

Angélique s'inclina vers l'enfant Sammy, toucha son front tiède, palpa ses bandages, puis ayant adressé un sourire à la vieille demoiselle, elle ressortit et alla s'asseoir derrière la cabane, près de l'Indienne Maktera.

La lune à demi pleine surgissait des nuages. C'était une nuit où l'on ne pouvait pas dormir. Le cri hoquetant et précipité des grillons semblait soutenir d'une note aiguë, syncopée et lancinante, les chants mêlés du vent et de la mer.

Le vieux *medecin's man* apparut drapé dans son ample manteau qui ne laissait visibles entre le col et le rabat de son chapeau que les gros verres de ses besicles où un reflet de lune alluma subitement deux étoiles aiguisées. L'Indien le suivait comme une ombre, enveloppé lui aussi dans sa couverture de traite rouge et tenant le tromblon couché entre ses bras.

— Cette fois, dit Shapleigh, je m'en vais cueillir la verveine sauvage, l'herbe sacrée, l'herbe aux sorciers : une larme de Junon, une goutte de sang de Mercure, la joie des simples. Il faut la cueillir vers le temps où l'étoile Sirius se lève, au moment où ni le soleil ni la lune ne sont au-dessus de l'horizon, pour assister à ce geste, et la nuit est proche où les signes se conjoignent. Je ne peux plus attendre... Je vous laisse deux charges de poudre pour votre mousquet, et de quoi droguer vos malades pour les rendre moins dangereux... Prenez garde à cette racaille!

Elle murmura en anglais : Merci, mister Shapleigh.

Il fit quelques pas, se retourna pour tendre l'oreille à la tendre voix étrangère qui avait murmuré dans la nuit : *Thank you*, mister Shapleigh.

Il l'observa. Les yeux verts d'Angélique, à la clarté de la lune, avaient un éclat insoutenable.

Un rire sardonique étira sa bouche édentée.

— Irez-vous au Sabbat? demanda-t-il, enfourcherez-vous votre perche? C'est la nuit ou jamais pour une femme comme vous. Par cette lune, vous rencontrerez le démon aux pattes d'oie... Ne l'avez-vous pas, la baguette enduite de l'onguent du Sabbat? Vous connaissez la recette? Cent onces d'axonge ou graisse humaine, cinq de haschisch, une demi-poignée de fleurs de chanvre, une demie de fleurs de coquelicot, une pincée de racine d'ellébore, de la graine de tournesol concassée...

Comme il parlait en anglais, elle ne saisissait pas le sens de tout ce qu'il disait, mais il lui répéta la formule en latin, et elle eut un geste effrayé.

La vieille Indienne, ample et lourde, accompagna Shapleigh le long de la presqu'île jusqu'à la lisière des bois, puis revint de son allure solennelle. Angélique s'interrogeait sur la place que Maktera tenait près de ce vieux fou d'Anglais. Les Indiennes se plaçaient rarement comme servantes. Avait-elle été sa compagne? Ce qui expliquerait mieux l'ostracisme dans lequel ses compatriotes tenaient le savant, car pour eux la peau rouge n'est que déchéance.

Un jour, Angélique connaîtrait l'histoire de ce

couple étrange qui vivait à l'extrême pointe sauvage de la baie de Maquoit, celle d'une jeune Indienne, dernière survivante de la tribu exterminée des Péquots et que quarante années plus tôt on avait menée pour être vendue comme esclave sur la place de Boston. Achetée pour ses maîtres par un jeune « engagé » anglais, tout frais débarqué avec son diplôme d'apothicaire dans la poche. La tenant par ses liens, il s'était mis en route en la tirant derrière lui, et c'est alors qu'en regardant sa fragilité de biche et ses yeux noirs comme la source, dans l'ombre il avait senti l'obscure passion du bien et de la folie qui hante tous les fils de Shakespeare s'emparer de lui.

Et, au lieu de revenir vers la maison, il avait marché tout droit vers la forêt. Et c'est ainsi qu'ils avaient pénétré ensemble dans le royaume maudit des réprouvés.

8

A travers la plaine brune et scintillante des rochers découverts par le reflux, un homme s'approchait sautant par-dessus les mares d'un pas léger.

Lorsqu'il fut proche, Angélique reconnut Yann Le Couennec, le Breton de Wapassou, l'écuyer de son mari.

Elle courut à lui, folle de joie, et le serra amicalement dans ses bras.

— Yann, mon cher Yann! Quel bonheur de te voir!... M. le comte... où est-il?

— Je suis seul, dit le jeune Breton.

Et devant la déception qu'il lisait sur les traits d'Angélique :

— Lorsque M. le comte a appris votre départ pour le village anglais, il m'a chargé de vous joindre coûte que coûte. Voici huit jours que je suis votre piste de Houssnok à Brunschwick-Falls, puis le long de l'Androscoggi.

Il tira un papier de sa vareuse.

— Je dois vous remettre ceci de la part de M. le comte.

Elle attrapa le message avec avidité, heureuse de tenir quelque chose de lui entre ses mains, se retint d'y poser ses lèvres avant de faire sauter le cachet de cire.

Elle espérait que Joffrey lui donnait rendez-vous en un point de la côte, lui annonçait son arrivée contre toute vraisemblance. Mais il n'y avait que quelques lignes assez sèches : « Si ce message vous touche à Brunschwick-Falls, revenez avec Yann au poste de Peter Boggen. Si vous êtes déjà de retour à Houssnok, attendez-moi patiemment. Veillez, je vous prie, à ne pas vous montrer trop téméraire et impulsive. »

Le ton de la lettre — et comme une animosité contenue qui se glissait entre les lignes — laissa Angélique déconcertée. Puis elle se sentit glacée.

Le brave Yann, devinant à son expression que la lettre du maître devait manquer d'aménité — il avait vu à Joffrey de Peyrac, lorsqu'il la lui avait remise, son plus mauvais visage — essayait avec la délicatesse des simples d'atténuer l'effet produit.

— M. le comte s'inquiétait pour vous, à cause de ces bruits de guerre qui couraient...

— Mais... dit-elle.

Une phrase de Yann l'avait frappée : « Lorsque M. le comte a appris votre départ pour le village anglais... » Or, n'était-ce pas lui qui l'y avait envoyée?... Elle cherchait à se rappeler les circonstances de ce départ. Cela s'était passé quelques jours auparavant, et cela commençait à se perdre dans un chaos obscur.

— L'avait bien raison, M. le comte, commentait Yann. Ah! j'ai trouvé une belle pagaille à l'ouest du Kennebec. Toute la fourmilière rouge grouille sous les arbres, le tomahawk et la torche en main.

» ... Rien que des cendres et des poutres noircies, et des cadavres et des corbeaux qui tourbillonnent... Heureusement, il y avait encore quelques sauvages qui pillaient à Newehewanik. Ils m'ont indiqué que vous étiez partie avec Piksarett vers le sud, et non vers le nord, comme les autres captifs... Ensuite, je craignais de me faire attraper comme Anglais, surtout que je suis comme eux un peu rouquin. Je devais me cacher sans cesse...

Elle considéra son visage hâve, barbu, fatigué, et se ressaisit.

— Mais tu dois être à bout de forces, mon pauvre ami! As-tu pu seulement te nourrir convenablement, en cours de route?... Viens te restaurer!

Yann était là, apportant avec lui la présence des siens, des fidèles, du cercle chaleureux de Wapassou, et elle évoqua avec une nostalgie démesurée le fort des bois lointain, si rustique, et Honorine...

Tout cela semblait déjà au bout du monde.

Car quelque chose s'était passé qui avait brisé le cercle magique, le cercle d'amour... le cercle de craie des vieilles légendes celtiques.

Le soir tombait. Angélique se sentait reprise de sa grande peur de jadis. Le refrain de la mer lui parlait de sa solitude passée, de son épuisant combat de femme seule, et sans issue, pour survivre de quelque côté qu'elle se tournât parmi les pièges des hommes avides, et particulièrement à cause du bruit de la mer, de son souffle râpeux, des voix des pirates — elle songeait à la Méditerranée, où elle avait, si seule, été une proie pourchassée.

Mais bientôt elle réussit à surmonter cette défaillance. Le bonheur de ces derniers mois l'avait fortifiée.

Elle sentait qu'elle avait réussi à franchir les obstacles entravant l'épanouissement de sa personnalité, et qu'elle atteignait peu à peu cette aisance intérieure de l'âme qui était l'apanage de son âge et l'un de ses plus grands charmes.

Sûre d'elle, sûre d'un amour auprès duquel elle pouvait se réfugier, se reposer, le monde lui apparaissait moins hostile que facile à apprivoiser.

Encore un peu de patience et cette épreuve prendrait fin. Tout rentrerait dans l'ordre.

Elle cherchait à s'entretenir plus longuement

avec Yann car elle voyait se refléter sur son honnête visage l'étonnement de la retrouver en si patibulaire compagnie. Hasard ou effet d'un petit complot, elle ne put le voir en tête à tête au cours de la soirée. Les autres l'accaparaient. L'empressement de Boulanger et Beaumarchand à vouloir l'admettre dans leur cercle ne parvenait pas à vaincre la répulsion qu'éprouvait pour eux l'écuyer du comte de Peyrac.

— Mange, mon fi, disait cordialement Hyacinthe en lui versant une pleine louche de soupe, et en essayant de donner à sa trogne boursouflée et sinistre une expression accueillante.

Yann remerciait poliment, mais restait tendu, et par moments essayait de surprendre le regard d'Angélique pour solliciter une muette explication.

Ils soupèrent ce soir-là d'un bouillon de tortue, que Hyacinthe avait fait mijoter lui-même, et chacun, sachant que le bouillon de tortue est le régal du boucanier qui tient à sa réputation, il fallait reconnaître que celui-ci était particulièrement délectable, l'aventurier des Caraïbes étant, comme beaucoup de ses pareils, fin cuisinier.

— Je me sens revivre, disait Aristide en clappant de la langue.

— Vous, mon cher, vous courrez bientôt comme un lapin, affirma Angélique en le bordant derechef pour la nuit.

Elle avait désormais moins l'impression de veiller sur lui que d'être surveillée par eux.

Elle réussit pourtant à s'éloigner un peu avec Yann pour le mettre au courant de ces présences insolites.

— Leur capitaine les a abandonnés sur la côte, sans doute pour insubordination. Malades et invalides ils ne sont pas dangereux... pas pour l'instant. J'ai hâte cependant que M. de Peyrac nous joigne. Cantor a dû déjà parvenir à Gouldsboro... As-tu des munitions?

Il les avait épuisées en chassant pour se nourrir. Il lui restait seulement un peu de poudre au fond de sa corne.

Angélique prépara le mousquet et le posa à côté d'elle.

La chaleur était accablante, et la brise marine de la nuit ne parvenait pas à dissiper une sensation d'oppression.

A son habitude, Angélique s'installa sous l'arbre, non loin de son malade. Une curieuse fatigue ne tarda pas à l'accabler et bientôt elle eut de la peine à tenir les yeux ouverts.

Sa dernière vision fut celle de la lune à demi pleine émergeant des nuages, tandis que son long reflet d'or se déroulait et bondissait par-dessus les masses noires des îles dispersées, traversant d'un seul coup la baie silencieuse.

« C'est ma lune, pensa vaguement Angélique, celle qui me rend amoureuse... », car elle se savait plus accessible en ces nuits où l'astre se gonfle comme une voile latine à l'horizon.

Puis elle s'endormit profondément. Elle rêva, fit un songe angoissant : une foule de personnes l'entouraient et elle ne pouvait distinguer leurs visages car ils se détachaient en ombres noires sur un ciel d'un rose glacé.

Elle tressaillit soudain. Ce n'était pas un rêve, elle avait les yeux ouverts. UNE FOULE DE PERSONNES

L'ENTOURAIT. Elle voyait leurs silhouettes obscures et lourdes, aller et venir lentement autour d'elle, et le ciel était rose car c'était celui de l'aurore se levant sur la baie de Casco.

Angélique se redressa à demi. Son corps lui parut de plomb. Elle passa la main machinalement sur son visage.

Puis elle aperçut Yann à quelques pas. Il était debout, attaché à un arbre. Ligoté solidement, et sa bouche serrée de fureur.

Puis il y avait Aristide Beaumarchand, assis, soutenu par deux matelots inconnus, qui lapait goulûment le contenu d'une bouteille de rhum toute neuve.

— Et voilà, ma jolie, fit-il en ricanant. C'est notre tour de vous posséder...

Une voix dit :

— Tais-toi, vieille ganache. Ce n'est point d'un gentilhomme d'aventures qui se respecte que d'insulter l'adversaire vaincu... Surtout lorsqu'il s'agit d'une belle dame.

Angélique leva les yeux vers celui qui venait de parler. Il semblait jeune, avantageux, bien mis, avec des airs d'ancien page dans son sourire, ses manières.

— Qui êtes-vous donc? interrogea-t-elle d'une voix sans timbre.

Il ôta son large chapeau orné d'une plume rouge et s'inclina galamment.

— Je me nomme François de Barssempuy.

Et avec un second profond salut, la main sur le cœur :

— Je suis le lieutenant du capitaine Barbe d'Or.

Alors elle découvrit qu'il y avait un navire à l'ancre dans la baie. Au pied du promontoire.

Et ce qui la frappa tout d'abord, c'est qu'il semblait un fort joli navire. Bien qu'il fût assez court et d'un modèle ancien, avec ces deux châteaux d'avant et d'arrière, dont les ornements de couleurs vives étincelaient au soleil levant.

Une « caraque » plutôt qu'un vaisseau, une nef... Qui se balançait mollement, tandis qu'un canot se détachait de ses flancs pour se poser sur l'eau calme où le reflet de la chaîne d'ancre se brisait en angle aigu... « Hein! la soupe à la tortue, dit Hyacinthe, ça fait dormir... quand on y ajoute un p'tit quelque chose... J'ai eu qu'à choisir dans vos fioles... »

Brusquement, Angélique s'éveilla. Elle venait de tout comprendre. D'un mouvement de reins souple et avec une rapidité foudroyante elle se jeta sur Beaumarchand, l'agrippant aux épaules et le secouant comme un prunier.

— Misérable! Je vous ai recousu la panse et vous m'avez vendue à Barbe d'Or!

Ils durent se mettre à quatre pour le lui arracher.

Sérieusement malmené, il était blême comme une chandelle et se mit à ruisseler de sueur.

— Tout va sauter! gémit-il, les mains sur son ventre.

— Je le souhaite, fit Angélique, farouche.

— Tenez-la ferme, supplia-t-il, vous avez vu

comme elle m'a traité?... Une femme qui bouscule un pauvre malade comme ça, ça ne mérite pas de pitié.

— Crétin! lui jeta Angélique.

D'un geste sans réplique, elle se dégagea des mains qui la retenaient.

— Bas les pattes!

Respirant précipitamment, elle considérait Aristide d'un œil terrible et il n'en menait pas large.

Il n'était pas beau à voir, recroquevillé dans ses hardes trop vastes pour son corps amaigri.

— Vous êtes un affreux petit macaque, lui jeta-t-elle avec mépris, l'être le plus abject que j'aie jamais rencontré. Je cracherais volontiers sur vous...

— Prenez-lui son couteau, supplia-t-il.

— Que quelqu'un ose m'approcher, dit Angélique avec un recul, la main sur son poignard.

Et le cercle des hommes sidérés la considéra comme une apparition, avec sa chevelure étincelante que tordait le vent et ses yeux verts et pâles qui semblaient refléter le miroitement de la mer.

— Madame, dit très poliment M. de Barssempuy, il faut me rendre cette arme.

— Venez la prendre.

— Attention, lieutenant! cria Aristide, elle sait s'en servir. C'est avec ça qu'elle m'a décousu.

— Et elle nous a jeté des ruches à la tête, renchérit le boucanier Hyacinthe qui se tenait prudemment à l'écart, même qu'on en a encore la tête comme des citrouilles.

Des hommes, en le regardant, éclatèrent de rire.

— Elle est dangereuse, quoi! hurla Hyacinthe indigné. C'est une sorcière, cette femme, vous le savez bien. On l'a dit dans la Baie.

Mais les hommes n'en riaient que plus fort.

Angélique devinait que la plupart n'avaient qu'en mince estime ces forbans et déserteurs qui l'avaient si lâchement livrée.

Elle feignit de se désintéresser des piètres personnages et se tourna vers le lieutenant de Barssempuy, un Français et un gentilhomme à coup sûr.

— Comment ont-ils pu faire pour me trahir ainsi? interrogea-t-elle en se rapprochant de lui avec désinvolture. Cette crapule-là était horriblement blessée, et les autres ne valaient guère mieux. Et nous les avions à l'œil. Comment ont-ils pu vous avertir de ma présence ici?...

— C'est Martinez, dit le jeune homme. Nous l'avons vu arriver dans une île du golfe où nous étions installés à caréner et il nous a avertis.

Martinez?... Le cinquième forban, qui était parti avec Cantor et les Anglais? Un compagnon encombrant dont ils avaient bien l'intention de se séparer avant d'avoir quitté la baie de Casco. Aussi avait-il été facile au rusé compère de se faire débarquer par eux sur une des côtes de l'île où il n'ignorait pas que leurs anciens compagnons se reposaient et radoubaient leur vaisseau.

Apportant l'annonce à Barbe d'Or que la comtesse de Peyrac pouvait être capturée sans peine à quelques miles de là, le mutin était certain d'être bien accueilli.

Et pendant ce temps Angélique s'ingéniait à soigner ce méchant gnome qui, bien que mourant, avait gardé assez de souffle pour manigancer, avant le départ de Martinez, cette forfaiture, ce coup fourré dont elle était maintenant la victime.

L'arrivée de Yann n'avait pas dû les arranger, mais il était seul.

Avertis sans doute par des signaux lointains de l'arrivée de leurs complices, la veille, ils avaient versé dans le potage un soporifique.

Elle regarda autour d'elle. Où étaient Adhémar, la vieille Indienne, les quatre Anglais rescapés du massacre? Un remue-ménage du côté de la plage lui fit supposer qu'on les avait peut-être déjà emmenés à bord, prisonniers.

Et Piksarett? Des yeux, elle le cherchait en direction de la forêt. Mais la forêt était close, immobile, sans recours. Devant elle, la mer, un horizon borné par une légère brume mauve, l'entrée de la petite baie de Maquoit, où se balançait un vaisseau bariolé, où le rose de l'aurore pâlissait, se diluait peu à peu dans une lumière plus neutre.

Angélique avait retrouvé son sang-froid et son cerveau travaillait fiévreusement. Elle s'interrogea sur l'avantage qu'il y avait pour elle à être tombée sur des corsaires français. Les aventuriers des Caraïbes relevaient moitié-moitié d'obédience française et anglaise. Des Anglais ne se seraient peut-être point occupés d'elle et l'auraient laissée en paix sur son rocher, mais avec des compatriotes de langue, au moins elle pourrait discuter.

Ce Barbe d'Or!... Bien! Il voulait la guerre. Il la capturait, sans doute pour se servir d'elle comme otage contre Joffrey de Peyrac! Soit! Il allait l'entendre! Il le regretterait, son coup de razzia... Quel que fût le genre d'homme qu'il se révélerait être, elle se faisait fort de lui en imposer.

Barbe d'Or! Un nom pour faire peur, un nom de « M'as-tu-Vu », de matamore, qui croit que le déguisement fait l'homme!... Pas très malin sans aucun doute! Et peut-être plus policé, plus accessible que beaucoup de ses congénères.

Angélique observait dans les hommes d'équipage qui l'entouraient une tenue, une propreté inhabituelles qui lui faisaient augurer la possibilité de pouvoir s'entendre avec leur maître. Certes, ils étaient vêtus de façon voyante et panachée comme la plupart de ces marins qui, libres de toutes attaches et souvent les poches pleines d'or, menant grande vie, ne résistent pas à la tentation de se parer des plumes du paon. Il y a en tout homme sans contraintes un enfant glorieux qui sommeille. Mais il n'y avait rien dans leur attitude de débraillé et de vraiment crapuleux, et elle comprenait mieux pourquoi les cinq compères de la racaille, recueillis par elle, avaient été abandonnés comme indésirables sur une grève déserte.

Tout cela, Angélique l'enregistra en quelques secondes, le temps de retrouver le rythme normal des battements de son cœur et de dresser ses plans.

— Votre capitaine, ce Barbe d'Or, où est-il?
— Le voici qui vient vers nous, madame.

10

La main de François de Barssempuy désignait le canot qui s'était détaché du navire et s'approchait à coups de rames.

A l'avant, debout, un homme de stature géante. Aperçu à contre-jour, comme une sombre et énorme silhouette, on ne pouvait discerner ses traits, mais l'on devinait qu'il était barbu et chevelu comme un Viking car il y avait une sorte de petite auréole flamboyante et hérissée tout autour de sa tête. Il portait une redingote aux manches à larges revers soutachés de broderies d'or, que traversait un large baudrier chargé d'armes, et il était chaussé de bottes cavalières qui lui arrivaient jusqu'à mi-cuisses, soulignant de façon impressionnante les deux colonnes robustes de ses jambes. Tel quel, profilé sur l'arrière-plan étincelant de la baie, il apparut à Angélique gigantesque.

A quelques toises de la plage, il se coiffa brusquement d'un grand feutre à plumes de perroquet jaunes et vertes qu'il tenait en main.

Un pincement d'appréhension secoua Angélique derechef. Le capitaine serait-il en définitive moins policé et rassurant que son équipage?...

Profitant de ce que tous les regards semblaient tournés vers l'arrivant, elle s'était rapprochée insensiblement de Yann, ficelé à son arbre.

— Tiens-toi prêt, chuchota-t-elle. Je vais couper tes liens avec mon couteau. Lorsque ce Barbe d'Or abordera, tout le monde regardera vers lui et s'avancera à sa rencontre. Alors, sauve-toi vers la forêt... Cours! cours!... Va prévenir M. de Peyrac qu'on ne s'inquiète pas trop pour moi. J'essaierai de faire rester ce pirate dans les parages jusqu'à ce que les secours arrivent!...

Elle parlait à l'indienne, sans presque remuer les lèvres et regardant fixement dans la direction du canot.

Barbe d'Or devait être un chef redouté d'un grand ascendant sur ses hommes, car c'était un fait que chacun surveillait son approche et rectifiait la position.

Au moment où il descendit dans l'eau et marcha vers la plage d'un pas lourd et pesant, le poignard d'Angélique se glissa derrière l'arbre entre les poignets de Yann. Les liens furent tranchés d'un seul coup.

Dans un silence total, où le cri des mouettes soudain jeté perçait le cœur d'une fugitive angoisse, le pirate marchait vers le promontoire.

Afin d'éloigner les autres de Yann, Angélique, courageusement, s'avança.

Yann galopait comme un lièvre de garenne, il bondissait par-dessus les buissons, sautait par-dessus les trous et les failles, se glissait entre les troncs de la pinède, escaladait les roches, s'élevait peu à peu; se guidant à la lumière de la baie, entre les arbres, contournait la côte et se trouvait enfin de l'autre côté du fjord.

Il s'arrêta alors, sûr de n'être pas suivi. Hors d'haleine, il reprit son souffle, puis s'approcha du bord de la falaise afin d'examiner les alentours.

De l'emplacement où il se trouvait, il découvrait largement la baie, le navire à l'ancre, la plage noire de monde.

Il chercha des yeux Mme de Peyrac.

Ne l'apercevant pas, il se pencha plus encore, s'accrochant à une racine d'arbre rabougri poussé à l'extrême rebord de la falaise.

Et alors il vit... IL VIT...

La bouche lui en tomba, ses yeux s'écarquillèrent, et Yann le marin, qui en avait pourtant pas mal vu dans sa chienne de vie, sentit le monde s'écrouler tout au fond de lui comme sous un cataclysme.

Barbe d'Or était là-bas sur la plage et il y avait une femme dans ses bras.

Une femme qui levait vers lui un visage transfiguré.

Et c'était elle, ELLE, l'épouse du comte de Peyrac!

Et parmi le cercle des hommes immobiles et presque aussi stupéfaits que Yann là-bas sur sa falaise, Barbe d'Or et Angélique se regardaient, et s'étreignaient, et s'embrassaient éperdument devant toute la foule comme des amants qui se retrouvent... COMME DES AMANTS QUI SE RETROUVENT!

11

— Colin! dit-elle.

La pénombre de la chambre sur le navire où il l'avait conduite était fraîche et, par les fenêtres ouvertes du château arrière, on voyait scintiller la baie et se balancer le reflet d'une île.

Le vaisseau restait à l'ancre.

Silencieux, engourdi dans la chaleur du jour, il remuait doucement, rêveusement. On n'entendait d'autre bruit que celui des vaguelettes contre sa coque. Le *Cœur de Marie* semblait soudain déserté de ses habitants, pour ne conserver en son sein que ces deux seuls êtres que le Destin venait de remettre brutalement face à face.

— Colin! Colin! répéta-t-elle encore d'une voix rêveuse.

Les lèvres un peu entrouvertes, Angélique le regardait. Mal remise encore de l'émotion violente, du choc fait de surprise, d'effroi et d'un bonheur intense qu'elle avait éprouvé lorsque, dans l'homme géant qui montait la grève, elle avait soudain cru reconnaître, deviner... mais oui, ces larges épaules, ce regard bleu, et lorsqu'il l'apercevait, cette expression indescriptible, ce tressaillement qui le figeait. Elle avait couru vers lui. Colin! Colin! Oh! mon cher ami du désert!

Dans l'espace étroit de la cabine, la haute stature de celui qu'on appelait aujourd'hui Barbe d'Or remplissait tout.

Il se tenait debout devant elle, muet.

Il faisait très chaud. Alors, il avait ôté son baudrier et l'avait posé sur la table, puis sa redingote. Au baudrier, se trouvaient accrochés trois pistolets et une hachette. Elle se souvenait de la douleur qu'elle avait ressentie lorsqu'il l'avait serrée à la broyer sur tout cet arsenal. Mais en même temps il s'inclinait et avait posé ses lèvres sur les siennes et ç'avait été une impression spontanée, violente et délicieuse.

Maintenant que s'estompait l'émotion foudroyante de cet instant, elle voyait mieux le pirate qu'il était devenu et regrettait l'élan impulsif qui l'avait jetée dans ses bras.

Le col blanc de sa chemise ouverte sur sa poitrine massive et le linge des manches roulées sur ses bras forts mettaient des taches de lumière crue dans cette ombre oppressante...

La dernière fois qu'elle l'avait vu, c'était à Ceuta (1), la cité espagnole en terre sarrasine.

Quatre, non cinq années s'étaient écoulées depuis. Aujourd'hui, ils étaient en Amérique.

Angélique reprenait pied, réalisait les faits. Ce matin, dans une aube inquiétante, elle attendait Barbe d'Or, un pirate redoutable, un ennemi... Elle avait vu arriver Colin, son compagnon, son ami... son amant de jadis. Une surprise suffocante et terrible!

Une réalité cependant. Un peu folle, mais vraisemblable. Tous les aventuriers du monde, tous les marins du monde ne sont-ils pas faits pour se retrouver en tous les points du globe où la mer pousse les navires?

Un hasard auquel elle n'avait jamais songé la remettait en face de celui avec lequel elle s'était évadée de Miquenez, avec lequel elle s'était échappée de Barbarie... Mais c'était sur l'autre face de la terre, après avoir vécu tous deux des existences inconnues.

Cette haute présence silencieuse, semblable mais aussi différente de celle dont elle avait gardé le

(1) Tanger. Lire dans la même collection, *Indomptable Angélique*, *T. 1* et *T. 2*, 673*** et 674***.

souvenir, lui rendait plus précise et dense la réalité des années écoulées, comme si elles s'étaient mises à emplir l'étroit espace de la cabine d'une eau lourde, un peu fangeuse, qui les séparait. Et maintenant, ils s'éloignaient l'un de l'autre, franchissaient l'espace du temps. Le temps reprenait sa forme, redevenait un élément palpable.

Angélique posa son menton sur ses mains et s'efforça de sourire pour dissiper le trouble qui lui mettait le feu aux joues et rendait trop brillants ses yeux.

— C'est donc toi, fit-elle... (Elle se reprit vivement : c'est donc vous, mon cher ami Colin, que je retrouve aujourd'hui en la personne de ce corsaire Barbe d'Or dont j'ai tant entendu parler?... Dire que je m'y attendais serait mentir!... J'étais à cent lieues de me douter...

Elle s'interrompit parce qu'il avait bougé.

Il attirait un escabeau et s'asseyait en face d'elle, de l'autre côté de la table, les bras croisés, penché en avant, la tête un peu dans les épaules, et l'observait de ses yeux clairs, bleus et songeurs qui ne cillaient point.

Et sous cet examen elle ne savait que dire, consciente qu'il recherchait, reconnaissait chacun de ses traits, comme elle-même dans cette face tannée que mangeait la barbe blonde, dans ce front vaste rayé de trois rides claires qui le traversaient comme des cicatrices sous la retombée de ses cheveux emmêlés de Normand, retrouvait, à peine altérée, une face amicalement familière, rassurante... aimée... Et c'était sans doute une illusion. Car, au cours des années passées, ne s'était-il pas chargé de crimes?

Mais elle ne pouvait s'empêcher de le voir tel qu'il se penchait sur elle quand la peur la faisait trembler. Et sous son regard incisif elle savait qu'elle lui offrait le visage de celle qu'elle était devenue et que la lumière tombant des fenêtres ouvertes moirait de reflets nacrés ses cheveux. Les traits d'une femme qui ne cherchait pas à les dissimuler, tout de fierté et de libre connaissance, avec ce sceau impérial que la maturité leur apposait. Avec plus de pureté dans les lignes, d'harmonie dans l'ossature, l'arête du nez, les sourcils, la courbe de la bouche, plus de douceur, d'ombre et de mystère dans le regard d'eau marine, et cette perfection dans l'achèvement de l'être entier qui émanait d'elle et qui avait envoûté Pont-Briand jusqu'à la folie.

12

Il ouvrit la bouche et dit :

— C'est stupéfiant! Vous êtes encore plus belle que je n'en avais gardé le souvenir.

» Et pourtant, continuait-il, ce souvenir, Dieu sait qu'il a hanté ma vie!

Angélique secoua la tête, niant l'aveu.

— Il n'y a pas grand miracle à être plus belle aujourd'hui que la pauvre épave que j'étais alors... Et mes cheveux ont blanchi, regardez.

Il hocha la tête.

— Je me souviens... Ils ont commencé à blanchir sur les routes du désert... Trop de douleurs...

Trop de souffrances endurées... Pauvre petite! Pauvre enfant courageuse...

Elle reconnaissait sa voix au léger accent paysan et dans le timbre bas cette nuance de câlinerie paternelle qui la troublait tant naguère. Elle voulait à toutes forces écarter le trouble et ne parvenait plus à trouver les mots qu'il fallait.

Et le geste qu'elle eut alors d'effleurer son front de sa main avec une grâce un peu souffrante pour écarter sa chevelure lumineuse le fit soupirer profondément.

Angélique aurait voulu donner à l'incident plus de légèreté, parler, plaisanter. Il lui semblait que le regard de Colin Paturel pénétrait en elle et la captait toute, la paralysait.

Il avait toujours été grave et ne riait pas volontiers. Il semblait aujourd'hui encore plus grave, avec une pesante impassibilité qui dissimulait peut-être tristesse et ruse.

— Ainsi donc, vous savez que je suis l'épouse du comte de Peyrac? reprit-elle pour combler le silence.

— Certes, je le sais... C'est pour cela que je suis ici. Pour vous capturer, car j'ai un compte à régler avec le seigneur de Gouldsboro.

Un sourire effleura ses traits, donnant tout à coup à sa rude physionomie une franche douceur.

— Mais dire que je m'attendais à vous retrouver sous son nom serait mentir, fit-il en l'imitant. Et vous êtes là, vous, le rêve de mes jours et de mes nuits depuis tant d'années.

Angélique perdait pied. Elle s'apercevait que ces

244

derniers jours, passés à l'extrême pointe d'une presqu'île battue par les vents dans une attente stérile, avaient épuisé sa résistance et elle se trouvait livrée sans défense à une épreuve... Une épreuve... insurmontable!

— Mais vous êtes Barbe d'Or, s'exclama-t-elle comme se défendant d'elle-même. Vous n'êtes plus Colin Paturel... Vous êtes devenu un criminel.

— Non, mais non, en voilà une idée! fit-il, surpris.

Il restait paisible.

— Je suis corsaire au nom du roi, et j'ai de bonnes lettres de courses contresignées.

— Est-ce vrai que vous avez fait tirer sur les moines à la prise de Portobello?

— Oh! cela, c'est une autre histoire! Ils avaient été envoyés au-devant de nous par le gouverneur. Ils pensaient justement nous amener à composition par leurs patenôtres, mais la traîtrise est toujours la traîtrise, qu'elle se déguise ou non en robe de bure. Nous étions venus pour vaincre l'Espagnol. Nous l'avons vaincu. Les Espagnols ne sont pas d'une espèce comme la nôtre, gens du Nord. Ils ne seront jamais comme nous. Ils ont trop de sang maure dans les veines... Oh! et puis ce n'est pas tout... Leur cruauté au nom du Christ, j'exècre cela. Le jour où nous avons fait marcher les moines, il y avait dix bûchers qui brûlaient sur les collines, que ces pieux religieux avaient donné l'ordre d'allumer : des autodafés en sacrifice pour la victoire, avec des centaines d'Indiens dessus, qui avaient refusé de travailler à l'or ou de se convertir...

» Plus cruels que les Maures et plus rapaces que des chrétiens, voilà ce que sont les Espagnols. Un effrayant mélange d'âpreté au gain et de fanatisme... Non, je n'ai pas de remords d'avoir fait marcher les moines en bouclier à Portobello. C'est vrai, il faut que je vous le confesse, ma jolie, je ne suis plus un bon chrétien comme jadis... Lorsque j'eus quitté Ceuta sur *Le Bonnaventure*, j'ai d'abord été aux Indes orientales.

» J'ai eu l'occasion de sauver la fille du grand Mogol que des pirates avaient capturée, et cela m'a beaucoup enrichi, par la reconnaissance que m'a témoignée ce grand prince d'Asie. Alors, par les îles du Pacifique, je me suis rendu au Pérou, puis en Nouvelle-Grenade, enfin dans les Antilles, et, après avoir guerroyé avec le grand capitaine anglais Morgan contre les Espagnols — j'étais avec lui à Panama — je l'ai suivi à l'île de la Jamaïque, dont il est gouverneur. Avec ce que m'avait donné le grand Mogol et le butin gagné j'ai armé un navire pour des expéditions de courses. C'était l'an dernier. Oui, je le reconnais, après le Maroc j'ai cessé d'être un bon chrétien. Je ne pouvais plus prier que la Sainte Vierge parce que c'était une femme et qu'elle me faisait rêver à vous. Je sais que cela aussi n'est pas bien, mais je sentais que le cœur de la Vierge est indulgent aux pauvres hommes, qu'elle comprend tout et particulièrement ces choses-là. C'est pourquoi, dès que j'ai été le maître d'un navire, je l'ai nommé *Le Cœur de Marie.*

Il ôta posément ses gants de cuir et tendit vers elle, sur la table, ses deux mains nues, paumes ouvertes.

» Voyez, dit-il, les reconnaissez-vous, les marques des clous? Elles sont toujours là...

De son visage qu'elle fixait, elle abaissa son regard, reconnut les marques violacées de la crucifixion. Un jour, à Meknès, le sultan Moulay Ismaël l'avait fait clouer au bois de la Porte Neuve, à l'entrée de la ville. S'il n'en était pas mort, c'est que rien ne pouvait abattre Colin Paturel, le roi des Esclaves.

— Il fut un temps où, parmi les gens de mer, on commençait à m'appeler le Crucifié, reprit-il. J'ai dit que je tuerais quiconque me nommerait ainsi, et je me suis fait faire des gants. Car je savais que d'un tel surnom béni j'étais indigne. Mais je ne suis pas non plus un criminel. Seulement un homme de mer qui, à force de combats... et de rapines, a pu devenir son seul maître... Gagner la liberté, quoi. Nous seuls pouvons comprendre que c'est plus que la vie.

Il avait parlé longtemps.

Et le cœur d'Angélique commençait à se calmer et elle lui était reconnaissante de lui permettre de se ressaisir. La chaleur extérieure lui semblait moins pénible.

— Son seul maître, répéta-t-il. Après douze années d'esclavage, et tant d'autres de servitude sous les ordres de capitaines qui ne valaient pas la corde pour les pendre, voilà qui peut réjouir le cœur d'un homme.

Ses mains s'approchèrent des mains d'Angélique, les enveloppant mais sans les saisir.

— Te souviens-tu, dit-il, te souviens-tu de Miquenez?

Elle fit non de la tête et retira ses deux

247

mains, les gardant contre elle dans un geste de refus.

— Non, je ne me souviens presque plus, je ne veux pas me souvenir. Tout est différent maintenant. Nous voici sur une autre terre, Colin, et je suis l'épouse du comte de Peyrac...

— Oui, oui, je sais, fit-il avec le même petit sourire, vous me l'avez déjà dit.

Mais elle voyait bien que, pour lui, cette affirmation ne signifiait rien, qu'elle serait toujours à ses yeux l'esclave solitaire et pourchassée qu'il avait prise naguère sous sa protection, la compagne d'évasion, l'enfant chérie du désert qu'il avait portée sur son échine, et celle qu'il avait prise à même le sol pierreux du Rif pour goûter en elle les plus étonnantes délices de l'amour.

Et brusquement elle se souvint qu'elle avait porté un enfant de Colin en son sein, et quelque chose la traversa, poignant comme la douleur qui l'avait transpercée lorsque ce fruit s'était détaché d'elle.

Ses paupières s'abaissèrent et sa tête malgré elle se renversa à demi, tandis qu'elle revoyait la course folle du carrosse qui l'emmenait, prisonnière du roi, sur les routes de France, puis l'accident, le choc atroce, la douleur, puis le sang qui s'était mis à couler... Elle était alors abandonnée de tous; dans une brusque réminiscence, elle se demanda, hagarde, comment elle avait pu s'échapper de cette tenaille écrasante de l'ostracisme du roi de France et recommencer une seconde existence. Cela paraissait insensé.

L'homme qui l'observait vit passer, comme en transparence sur ce visage bouleversant de femme, le reflet de douleurs et de détresses jamais révélées... jamais avouées. De ces douleurs secrètes des femmes qu'elles gardent pour elles, car les hommes ne peuvent pas comprendre...

Dans la lumière du soleil qui rosissait, le visage doré d'Angélique avec l'ombre allongée de ses cils sur ses joues, d'une beauté supra-terrestre, lui rendait le souvenir merveilleux dont ces jours et ces nuits avaient été hantés, celui de la femme endormie contre lui, ou expirant de volupté entre ses bras.

Se dressant à demi, d'un seul élan, il se pencha vers elle.

— Qu'y a-t-il, mon agneau? Es-tu malade?

La voix sourde, altérée de Colin, si semblable au passé, la traversait de nouveau de part en part, mais, cette fois, c'était un mouvement plus doux, comme aurait pu être celui d'un enfant se retournant en elle, et elle reconnaissait le trouble, la douce onde du désir charnel que la présence de cet homme lui inspirait malgré elle.

— Je suis si fatiguée, murmura-t-elle. Tous ces jours à attendre sur la côte, à soigner cette crapule... comment s'appelle-t-il donc déjà?

Et, nerveusement, elle passait les paumes de ses mains sur son front, ses joues, en évitant de le regarder.

Il se leva tout à fait, contourna la table, se tint debout devant elle. Il lui paraissait énorme, sous ce plafond bas. La carrure d'Hercule, tout en os et muscles du plus robuste esclave de Moulay Ismaël, s'était étoffée de chair au cours de ses années de navigation, et cela conférait à ce géant, que nul n'avait pu abattre ou courber, une impressionnante stature, des épaules carrées, un cou rond et fort, un front de taureau et une poitrine large comme un bouclier.

— Repose-toi, dit-il doucement, je vais te faire apporter des rafraîchissements. Il faut te reposer. Tout ira mieux ensuite. Nous causerons.

Il gardait ce ton calme et assuré qui apaisait, dénouait l'angoisse. Mais elle sentit qu'il avait pris à son endroit une résolution implacable et elle lui jeta un regard presque suppliant.

Il frémit et ses mâchoires se crispèrent.

Elle espérait qu'il partirait. Mais voici qu'il s'agenouillait. Sur sa cheville, elle connut l'emprise d'une main trop chaude, à laquelle rien ne pouvait lui permettre d'échapper. Des doigts repoussaient le bord de sa robe vers le genou nu.

Il découvrait la jambe d'une tendre blancheur nacrée, sur laquelle se tordait le sillon bleuâtre de la cicatrice ancienne.

— Elle est là, s'écria-t-il avec un transport contenu, elle est toujours là, elle aussi, la marque du serpent.

Penché, brusquement il posa avec ferveur ses lèvres sur la chair meurtrie.

Presque aussitôt il la lâchait et, lui jetant un regard dévorant, il s'éloignait enfin.

Elle restait seule, mais la brûlure du baiser sur l'ancienne blessure faite jadis par le couteau de Colin pour la sauver de la morsure du serpent demeurait.

Et sur sa cheville persistait, comme un bracelet de fer, l'étreinte de ses doigts.

Elle les vit inscrits en traces rose-rouge qui s'effaçaient lentement.

Il avait toujours été ainsi; cet homme, ce doux, ce pacifiste, ce généreux ne connaissait pas sa force! Il meurtrissait souvent, sans le vouloir, sous l'empire de l'émotion, et en amour il l'avait parfois effrayée et fait gémir, tant elle se sentait entre ses bras une chose faible et fragile qu'il eût pu briser par mégarde. Devant les manifestations de sa violence inconsciente, il suppliait : « Pardonne-moi... je suis une brute, n'est-ce pas? Dis-le-moi, mais dis-le donc! »... et elle riait : « Mais non, n'as-tu pas senti que tu me rendais heureuse... »

Un tremblement violent secoua Angélique et elle se mit à marcher de long en large à travers l'étroite cabine, sans parvenir à dominer son malaise. La chaleur était odieuse et la lumière du soir devenait orangée, sulfureuse.

Sa robe collait à ses omoplates et elle éprouvait jusqu'à l'impatience le besoin de changer de linge, de laisser couler sur elle une eau fraîche.

Surprise le matin par les pirates, au réveil, ils l'avaient capturée pieds nus. C'était pieds nus qu'elle était descendue vers la plage où l'attendait Barbe d'Or — Oh! quelle force avait eue son étreinte! — et c'est encore pieds nus qu'elle marchait en ce moment sur le plancher de bois. Elle alla à la fenêtre, secoua sa chevelure pour goûter un peu de brise marine. Mais l'air demeurait morne et lourd. Il apportait un relent de brai fondu. Les matelots continuaient de radouber, de colmater... Avec une sensation d'accablement, elle pensa au hasard qui avait ramené vers elle un amant du passé dont elle ignorait qu'il eût laissé en son cœur un si vif souvenir. Et comme dans un sursaut, de nouveau en elle se répandait l'onde doucereuse à l'évocation de sa voix basse : « Qu'y a-t-il, mon agneau? Es-tu malade?... »

Des mots simples, mais qui l'avaient toujours atteinte au plus profond d'elle-même. Comme sa possession primitive, mais entière, si puissante qu'elle la subissait plutôt qu'elle ne pouvait la partager.

Lui revenaient, comme une vague retombant sur elle et lui faisant perdre le souffle, l'élan, l'ardeur du géant normand, le libérant de sa retenue, lorsque son regard à elle disait : Oui. Lui revenaient, dans tout son corps, des sensations oubliées, les insolites voluptés de ces étreintes du désert.

Il était toujours terriblement impatient de la posséder. Il la voulait tout de suite. Il la couchait sur le sable et entrait en elle aussitôt. Sans un mot d'amour, sans une caresse. Et pourtant jamais elle n'avait été blessée de son comportement. Chaque fois, elle avait ressenti dans la poussée de ses reins puissants, dans cet envahissement inexorable, l'élan d'une force prodigieuse, mais sereine, généreuse, un don immense, quasi mystique, de tout l'être engagé.

Insoucieux d'elle peut-être, mais non de l'acte.

Un célébrant perdu d'amour, célébrant l'offrande, l'union, le bonheur des hommes sur la terre.

Etait-ce sacrilège de penser que Colin Paturel faisait l'amour comme il faisait toutes choses, avec foi, piété, force et violence?...

Etreintes dont il lui semblait parfois qu'elle

allait mourir, trop faible dans son corps épuisé par les privations pour en supporter les transports et pour y répondre, et qui cependant lui avaient enseigné les jouissances pathétiques de la soumission, la saveur de n'être rien, plus rien que cette coupe offerte où il s'abreuvait, que cet instrument de chair suscitant sa joie, que ce corps, enfin, ce corps femelle, abandonné, oublié sous lui, mais d'où il tirait de si complètes extases.

Abnégation, abdication dont surgissait soudain la récompense, en un éclair imprévisible, à cet instant où chavirait en elle la conscience, lorsque l'assaut viril parvenait à ses fins et l'arrachait au néant, la ramenait à la vie avec un cri d'éveil, un cri de renaissance, de renouveau jailli de tout son être que tordait le spasme essentiel.

De cette irrépressible convulsion elle gardait la souvenance d'une onde éblouissante se répandant comme un torrent à travers sa chair à demi morte et pourtant capable encore du plaisir qui engendre la vie.

Comme le bourgeon soudain éclate à la lumière du printemps.

A cet élan de ses entrailles elle reconnaissait la force de la vie.

« Ah! je suis vivante, je suis vivante », se répétait-elle alors.

Par son rut aveugle, il semblait qu'il l'eût arrachée au sommeil de la mort où elle sombrait, et son sang circulait plus vif, et du précieux miracle elle s'émerveillait, les yeux grands ouverts sur la face de Colin, toute proche, aux prunelles bleues et limpides comme de l'eau fraîche, à la bouche d'ombre entre les poils de la barbe dorée et dont le souffle haletant l'effleurait doucement.

Oui, Colin ne lui avait pas simplement sauvé la vie : il lui avait redonné la vie et la joie de vivre et non de survivre seulement. C'était essentiellement grâce à lui qu'elle avait eu le courage et la force de retrouver son mari et ses enfants.

Ah! pourquoi fallait-il aujourd'hui que le mouvement de la mer et le bruit des courants, tandis que la marée haute s'engouffrait dans les pertuis, ramenassent avec tant de force les visions du passé? Dans les bois de Wapassou, elle eût oublié Colin.

« Il faut que je sorte de là », se dit-elle, en proie à la panique.

Elle courut jusqu'à la porte et essaya de l'ouvrir. Mais la porte était verrouillée. Elle aperçut alors, déposé au sol, son sac de voyage, et sur la table il y avait un plateau de victuailles, du saumon grillé avec des grains de maïs bouillis, une salade et dans une coupe de verre des tranches de cédrat et d'ananas confits. Le vin du flacon semblait bon. L'eau dans la cruche était fraîche.

Tandis qu'elle rêvait, quelqu'un était entré et avait déposé tout cela. Elle avait l'esprit tellement ailleurs qu'elle n'y avait pas pris garde.

Elle ne toucha pas aux mets, but seulement un peu d'eau.

Elle ouvrit son sac, constata que la moitié des choses manquaient, s'impatienta. Elle allait prier Colin d'envoyer ces bons à rien de matelots à terre lui ramener tous ses biens.

Il lui obéirait. Il était son esclave. Il n'y avait qu'elle qui comptât pour lui. Elle l'avait su dès que leurs regards s'étaient rencontrés et reconnus.

Tout ce qu'il voulait sur la terre, c'était ELLE... encore elle, toujours elle. Et elle venait de lui être rendue...

Comment lui échapper? Comment échapper à elle-même?

Sur le point de tambouriner et d'appeler avec fracas, elle se ravisa. Non, elle ne voulait pas le voir, Colin. La seule pensée de son regard sur elle la jetait dans une agitation extrême et elle se sentait dépassée.

Ah! que Joffrey vienne vite la chercher!

— Pourvu que Yann se hâte!

Elle regarda au-dehors. Le jour baissait. Le soleil avait disparu derrière une barre de nuages et, dans ces nuées grises, tressaillaient par instants des éclairs de chaleur, tandis que le balancement du vaisseau à l'ancre s'accentuait.

Angélique ôta ses vêtements.

Elle versa l'eau froide de la cruche sur sa nuque et la fit couler tout le long de son corps. Elle se sentit mieux après. Elle enfila une chemise de linon fin. Dans la petite chambre devenue toute ténébreuse, elle continuait d'aller et venir avec impatience, pareille à une pâle ombre agitée. La chemise courte était agréable et légère sur son corps enfiévré et, autour de ses jambes nues, elle sentait l'agrément d'un souffle d'air qui enfin se levait, un vent encore incertain qui par surprise échevait la crête des vagues avant de retomber mollement.

« La tempête menace... Voilà pourquoi le navire est demeuré à l'ancre au lieu de mettre à la voile, songea-t-elle. Colin pressentait l'orage. »

Elle attrapa le pan d'étoffe d'indienne posé sur la couchette et s'en enveloppa, puis s'allongea.

Elle voulait dormir.

Des pensées multiples s'entrechoquaient sous son crâne. Pourquoi Barbe d'Or voulait-il la capturer? Qu'étaient ces titres de propriété qu'il détenait sur Gouldsboro? Pourquoi Joffrey l'avait-il envoyée, elle Angélique, au village anglais?... Ah! Plus tard! Plus tard, penser à tout cela.

Le grondement sourd du tonnerre éclata, éveillant les échos des terres proches. Mais le roulement suivant fut déjà plus lointain.

— L'orage passe plus au large...

Le bercement du navire l'entraînait, la plongeait dans une douce torpeur. Colin... Autrefois... dans le désert.

Il ne l'embrassait qu'après, lorsque ses sens avaient apaisé leur urgente faim. Il ne la caressait qu'après... Leurs baisers étaient doux, hésitants, précautionneux, car leurs lèvres, crevassées par la sécheresse et les brûlures du soleil, souvent saignaient... Un frisson la parcourut toute et elle se raidit au souvenir des lèvres sèches et blessées de Colin sur les siennes, les lèvres de Colin errant sur son corps...

Elle se retourna violemment.

Puis, lasse et les nerfs à bout, elle sombra dans un sommeil profond.

13

— Non, Colin pas cela, je t'en supplie... Pas cela...

Les bras de Barbe d'Or, les bras noueux de Colin la soulevaient irrésistiblement, l'élevant jusqu'à lui, et, serrée sur sa dure poitrine nue, elle sentait les doigts de Colin, là entre ses seins, agripper le bord de la fine chemise de linon et tirer, et le voile se déchirait sans effort, d'un seul arrachement silencieux comme un brouillard s'estompe. La main de Colin sur ses reins, sur ses hanches, s'emparant d'elle, la reconnaissant toute. La main de l'homme s'insérant entre ses jambes, là, en cet endroit préservé où la peau a la douceur du satin, et remontant en une caresse qui n'en finissait point.

— Non, Colin, pas cela, je t'en supplie... Je t'en supplie!

Autour d'elle, la nuit profonde se trouait de lueurs mordorées.

L'homme avait déposé sur la table, derrière lui, une chandelle.

Mais pour Angélique, nue et défaillante entre les bras de Colin, toute n'était que nuit. Il était lui-même, nuit immense comme un gouffre, une forme opaque, penchée sur elle et l'enveloppant toute de sa passion obscure et farouche. Et, tandis qu'il la retenait contre lui et la caressait tenacement, sa bouche essayait de trouver ses lèvres qu'elle lui dérobait, roulant la tête de droite à gauche en une ultime réaction de défense.

— Câline, ma câline! chuchotait-il, cherchant à l'apaiser.

Il la nommait ainsi autrefois.

Il réussit enfin à la maîtriser et elle sentit ses lèvres douces et fraîches dans la tiédeur irritante de la barbe, qui s'emparaient des siennes.

Puis il resta parfaitement immobile, paralysant sa nuque de son bras de fer, mais ne cherchant pas à forcer le rempart qu'elle lui opposait, lèvres closes. Et peu à peu c'était elle qui cherchait à éveiller, à émouvoir, à saisir le secret de cette bouche d'homme apposée sur la sienne comme un sceau, exigeant qu'elle s'animât, sollicitant sa réponse, et la sentant enfin s'entrouvrir. Alors, elle cédait à son tour dans une sorte de cri avide et muet, envahie d'une brusque faim, et s'abandonnait à l'approche intime et mystérieuse du baiser.

Muet dialogue vertigineux, recherche plus douce, plus délicate qu'en l'autre possession, hésitante curiosité, reconnaissance, aveu, découverte, et l'étincelle qui jaillit, sans cesse renouvelée dans son crépitement, charriant le désir et la douceur dans le sang, faisant éclater le soleil dans la tête, attouchement éternel, soif à jamais assouvie, goût paradisiaque du néant, pulpe savoureuse offerte à une faim, réponse, réponse... chaque fois plus tendre, plus totale, jusqu'à ce que le corps sollicité ne soit plus que cette immense offrande impatiente, un festin d'amour apprêté pour la célébration des rites.

La force de Colin la renversait et elle basculait sans force, clouée sur le lit.

— Non, Colin!... Oh! je t'en prie, mon amour,

pas cela... Aie pitié, je ne peux plus... je ne peux plus... te résister.

Les deux genoux de Colin forçaient ses jambes serrées, voulant les écarter d'un sûr mouvement, d'un seul coup de soc, sans rémission...

Et un cri qui jaillissait :

— Ah! Je te haïrais!

Ce cri de refus, Angélique l'avait poussé sans presque l'entendre.

— Par Dieu, je te haïrais, Colin!

Et lui s'immobilisait comme frappé par la foudre, écoutant l'écho de ce cri entrer en lui comme une lame.

Un long moment qui passait, suspendu dans le silence. La lumière mouvante de la chandelle projetait aux parois l'ombre éternelle des nuits humaines, l'ombre confondue, toujours recomposée depuis la nuit des temps, d'un homme et d'une femme s'enlaçant pour l'amour...

Angélique, d'un coup de reins, se dégagea des bras puissants qui l'emprisonnaient et sauta à bas de la couchette avec tant de vivacité et de folie qu'elle renversa à demi la table, et la chandelle tomba, s'éteignit.

Angélique avait entraîné avec elle le châle d'étoffe indienne dans lequel elle s'était enveloppée avant de s'endormir. Elle s'en drapa de nouveau fébrilement tandis que, non sans se cogner durement un peu partout, elle essayait de mettre le rempart de la table entre Colin et elle.

Elle ne le voyait plus car l'obscurité était devenue totale. La nuit au-dehors était sans lune, une nuit de nuages et de brumes traînantes.

Elle devina que l'homme se redressait tel un animal prêt à bondir.

— Angélique! Angélique! cria la voix de Colin dans l'ombre, et dans ce cri il n'y avait pas seulement toute la ferveur d'un désir frustré, mais aussi un désespoir déchirant.

— Angélique!

Il s'avança titubant, les bras tendus, se heurta contre la table.

— Tais-toi! fit Angélique à voix basse, les dents serrées, et laisse-moi. Je ne peux pas me donner à toi, Colin, je suis l'épouse du comte de Peyrac.

— Peyrac! souffla la voix rauque (et elle avait l'impression qu'il allait expirer) Peyrac, ce hors-la-loi, ce gentilhomme d'aventure, qui joue au prince, au roi, sur la côte d'Acadie...

— Je suis sa femme!

— Tu l'as épousé comme toutes les garces qui bourlinguent à travers les Antilles épousent... Pour son or, pour sa flotte, pour les bijoux dont il t'a parée, parce qu'il t'a donné à manger... Hein? Sur quel rocher l'as-tu trouvé?... Tu bourlinguais à la recherche d'un riche corsaire?... Hein? Et il t'a offert des émeraudes et des perles... Hein? dis-moi?...

— Je n'ai pas d'explications à te donner. Je suis sa femme, je l'ai épousé devant Dieu.

— Fredaines!... Ça s'oublie!...

— Ne blasphème pas, Colin!

— Moi aussi, je peux t'offrir des émeraudes et des perles... Je peux être aussi riche que lui... Tu l'aimes?

— Cela ne te regarde pas si je l'aime! cria-t-elle

avec désespérance. Je suis **SA FEMME** et je ne peux pas passer ma vie à trahir des serments sacrés.

Il broncha. Elle ajouta, très vite :

— Nous ne pouvons pas faire cela, Colin... C'est impossible! C'est fini... Tu détruirais ma vie...

Il interrogea d'une voix sourde :

— Est-ce vrai que tu me haïrais?...

— Oui, c'est vrai! Je te haïrais. Je haïrais même ton souvenir, même le passé... Tu serais devenu pour moi l'instrument de mon propre malheur, mon pire ennemi... l'instrument de ma pire forfaiture... Je me haïrais moi-même. Ah! je préférerais que tu me tues tout de suite... Tue-moi! Tue-moi plutôt...

La respiration de Colin faisait un bruit de forge. Comme s'il souffrait à mort.

— Laisse-moi! Laisse-moi, Colin!...

Elle parlait à voix basse, mais la violence contenue de ses paroles donnait à chacun des mots la force de coups de poignard tranchants, aigus.

— Je ne peux pas te laisser, souffla-t-il, tu m'appartiens. Tu m'appartiens dans tous mes rêves... Et maintenant que tu es là devant moi, je ne renoncerai pas... Sinon, que signifierait que je t'aie retrouvée... que signifierait ce hasard qui t'a remise sur ma route... J'ai trop manqué de toi, des nuits et des jours,... j'ai trop pâti de ton souvenir pour renoncer... Il faut que je te prenne.

— Alors, tue-moi! Tue-moi tout de suite.

Le bruit de leurs deux respirations hachées emplissait l'ombre épaisse. Et Angélique défaillait, cramponnée à la table, dans le balancement du navire qui lui paraissait vertigineux car non mesurable, un vertige d'aveugles où l'effroi de sa propre faiblesse s'ajoutait à celui de ce qui adviendrait si jamais cette « chose » inéluctable et qu'elle sentait revenir avait lieu... Et il était vrai qu'en cet instant elle préférait la mort.

Quand elle entendit Colin bouger et qu'elle eut la sensation qu'il se rapprochait d'elle, un cri silencieux lui jaillit des entrailles, un cri comme elle n'en avait jamais poussé au-dedans d'elle-même et dont elle ne sut pas qu'il était un appel au secours vers quelque chose de plus fort que sa faiblesse, de plus lucide, de plus clément...

Alors, peu à peu, elle discerna l'immobilité des choses autour d'elle, une paix retombée, un vide. Elle sut qu'elle était de nouveau seule.

Colin l'avait laissée. Colin était parti.

14

Ce fut un moment très dur pour elle, un moment de confusion, de désespoir, où tout ce qu'il y a d'éternellement enfantin en une femme reprenait le dessus avec des illogismes, des regrets, des défis à la réalité, où tout son corps tourmenté et son esprit égaré se débattaient dans un insupportable dilemme. Il lui semblait qu'elle avait mal à crier et jusqu'au bout des ongles.

Enfin, ses nerfs se calmèrent et à tâtons elle chercha vainement à retrouver la chandelle. Celle-ci avait dû rouler en quelque coin. Mais une clarté laiteuse renaissante annonça la lune filtrant entre deux nuages, et Angélique, vacillante et comme ivre, vint s'appuyer au balustre de bois doré du petit balcon devant la porte-fenêtre ouverte.

Elle s'accouda, respira à plusieurs reprises profondément.

La lune se dévoilait, épandant sa clarté purifiante.

Moiré de nuages, le ciel se développa au-dessus d'elle comme une conque nacrée tout emplie de la rumeur continue du ressac et de celle, nostalgique et un peu lugubre, de l'aboi des loups-marins sur les plages.

Les yeux d'Angélique erraient autour d'elle sans se fixer, mais, le trouble de ses sens s'apaisant, la sensation d'un danger épouvantable qu'elle venait d'encourir et auquel elle n'avait échappé que de justesse s'imposa à elle et ses jambes fléchirent.

« J'ai failli faire « cela », se dit-elle. Et une sueur glacée l'inonda.

Plus les secondes passaient et plus la peur élémentaire venait briser, réduire en miettes le mirage éblouissant et doucereux de la tentation.

— Si j'avais fait « cela »!...

A l'instant même, s'avouait-elle, elle serait comme une morte... comme... elle ne trouvait pas de mots pour définir l'impression ravagée, de destruction totale qu'elle aurait éprouvée si...

Désormais, elle saurait que le désir pouvait prendre rang parmi les cataclysmes terrestres les plus terribles au même titre que les raz de marée, les cyclones, les tremblements de terre, un acte au-dessus de toutes les raisons, roulant irrésistiblement la faiblesse humaine dans son aveugle force matérielle.

Comment avait-elle eu la force de se dérober? Atterrée, elle se mordait les doigts, regardant devant elle un gouffre ouvert.

« Comment ai-je pu?... »

Elle touchait ses lèvres.

« Et ce baiser... Je n'aurais pas dû... Je n'aurais pas dû échanger un tel baiser avec Colin... »

Sa langue contre la langue de Colin.

Elle mit son visage entre ses mains.

« Impardonnable! Impardonnable!...

Joffrey!

Elle avait une peur superstitieuse de l'évoquer. Il lui semblait qu'il était là derrière elle, fixant sur elle ses yeux ardents.

« C'est Joffrey qui m'a donné le goût des baisers, qui me l'a rendu. C'est lui qui m'a appris à embrasser ainsi. Et j'aime... j'aime tant, avec lui, ces baisers qui n'ont pas de fin, je passerais ma vie contre son cœur, mes bras autour de son cou, ma bouche sous la sienne... Il le sait. Comment ai-je pu être si près de le trahir!... C'est d'être séparée de lui qui me rend faible... »

Jamais une femme n'est plus vulnérable que lorsqu'elle a besoin d'être consolée d'une absence. Les hommes, les époux devraient savoir cela.

Découvrant que son désarroi avait pris sa source dans l'insupportable « vide » qu'elle éprouvait à se retrouver seule, loin de lui, Angélique commença peu à peu de s'absoudre.

« Il ne devrait jamais me laisser seule... Et puis,

est-ce si grave? Et même si nous l'avions fait? Une étreinte?... Est-ce que vraiment cela m'aurait séparée de lui? C'est si peu de chose... C'est comme de boire quand on a soif. Il n'y a pas de péché à boire... Si c'est comme cela qu'on nous trompe, nous autres femmes, il n'y a pas de quoi faire de si grands drames... Une poussée de désir, une fringale... Si peu de chose en vérité. Désormais, je me montrerai plus indulgente pour les fredaines masculines... Est-ce que si Joffrey un jour... avec une autre femme?... Ah! non, je ne supporterais jamais cela... J'en mourrais... Ah! je sais maintenant que c'est très grave! Pardonne-moi... Pourquoi donc un acte aussi accidentel entraîne-t-il, depuis que le monde est monde, tant de tragédies?... L'esprit est prompt, mais la chair est faible! Oui-da... Mais comme c'est vrai!

» Pourquoi avec Colin, un presque étranger, pourquoi une tentation aussi irrésistible... L'amour, une affaire de peau... Joffrey me dit cela, avec son cynisme habituel, lorsqu'il veut me taquiner... L'amour, c'est une affaire de peau, des ondes qui s'attirent... Non, pas que cela! Mais une des conditions fondamentales peut-être?... Avec certains hommes autrefois, ce n'était pas désagréable, certes, mais je savais qu'il y avait quelque chose qui manquait... Ce quelque chose que j'ai ressenti tout de suite avec Joffrey, même quand il me faisait peur...

Et avec Colin?... Il y a toujours eu quelque chose de plus avec lui que je ne m'expliquais pas... Avec Desgrez aussi, il me semble... Et... maintenant que j'y songe, c'est drôle, ce gros capitaine du Châtelet, est-ce que j'aurais pu « payer » pour sauver Cantor si... Il ne m'a pas laissé un si mauvais souvenir... Mais avec le roi? Eh bien, là, je comprends mieux... « CELA » manquait... Cela manquait, cette si étrange, si bizarre reconnaissance à fleur de peau, entre certains êtres, sans que rien ne puisse l'expliquer.

« Il y a cela entre Colin et moi... voilà le danger... Je ne dois jamais rester seule avec lui.

Rêveuse, dans le mouvement dodelinant du navire, elle laissait sa pensée se perdre à travers le clair de lune, y voyant défiler, pour une sélection très particulière, les silhouettes anciennes des hommes qu'elle avait connus, tous si divers et parmi lesquels passèrent tout à coup, sans qu'elle sût pourquoi, le franc visage du comte de Loménie-Chambord et même lointaine, hiératique mais si clémente, la noble figure de l'abbé de Nieul (1).

15

Il y avait un homme caché, agrippé sous les balustres.

Depuis quelques instants, pour l'observer, Angélique avait interrompu ses divagations sur les inconséquences et l'illogisme de l'être humain en amour, et ses réminiscences comparatives.

(1) Lire dans la même collection, *Angélique se révolte*, *T. 1* et *T. 2*. 675***, 676***.

Attirée par un léger bruit, elle s'était penchée et avait distingué l'ombre portée d'un homme hirsute et dont les vêtements étaient en lambeaux. Il se cramponnait à ce qu'on appelait les « galeries » qui étaient des ornementations en surplomb, encadrant les deux étages du château arrière.

— Hep! l'homme, souffla-t-elle, que faites-vous là?

Se voyant découvert, il glissa de côté et elle aperçut un peu plus bas, accroché cette fois aux moulures qui cernaient la « tutèle », c'est-à-dire le grand panneau sur lequel était peinte une allégorie du Cœur de Marie entourée d'anges.

Le mystérieux acrobate lui jeta un regard menaçant, mais qui suppliait aussi.

Il portait des meurtrissures aux poignets.

Angélique comprit. Sur le bateau de Barbe d'Or, il y avait des prisonniers et celui-là devait être un prisonnier qui s'évadait.

Elle lui fit un petit signe d'entente et se retira en arrière.

Comprenant qu'elle ne donnerait pas l'alarme, l'autre reprit courage. Elle sentit son élan et perçut le bruit du plongeon.

Lorsqu'elle regarda de nouveau, tout était calme. Elle le cherchait au pied du vaisseau, mais il émergeait déjà là-bas dans le reflet sombre d'un îlot puis se mettait à nager.

Une nostalgie affreuse s'empara d'Angélique. Elle aussi aurait voulu fuir, fuir, s'évader de ce navire où elle se sentait prise au piège de ses propres faiblesses. Demain, Colin surgirait encore devant elle.

« Il me faut quitter ce vaisseau à tout prix, se
dit-elle, à tout prix... »

16

Au pied du Mont-Désert, il y a une source fraîche
et ombreuse, une eau claire au goût d'argile. Ici, le
sieur Pierre du Guast de Monts s'abreuva lorsqu'il
y vint en 1604 et fonda le premier établissement
européen en Amérique septentrionale. C'était un
riche seigneur huguenot, que son ami Henri IV
de France avait nommé vice-roi de la côte Atlantique du Nouveau Monde. Le géographe Samuel
Champlain l'accompagnait, et aussi le poète Les-
carbot, qui chanta « les douces eaux d'Acadie ».

Du premier établissement il ne reste rien qu'une
croix pourrie, à demi tombée, plantée par le père
Biard, jésuite, une chapelle vétuste, avec une cloche
d'argent que fait tinter le vent, ou que secouent
parfois, curieux et inquiets, les enfants sauvages
de la tribu des Cadillac (1).

Une vieille piste indienne s'achève là, venue du
Nord, ayant franchi lacs et forêts depuis le lointain mont Katthedin, puis, de rocher en rocher,

_____

(1) Au siècle suivant, l'un de leurs grands chefs s'illustra dans
la guerre franco-anglaise, la montagne porte actuellement le
nom de mont Cadillac.
En notre temps, le nom de ce grand chef indien est également
donné à une marque automobile.

un bras de mer avant de s'éteindre en l'île du mont Désert.

En ce printemps, l'herbe verte et les pousses tendres des bouleaux y ramenaient les troupeaux de bisons, mugissant, sombres, ancestraux, gigantesques bovins aux fronts butés et aux garrots velus.

Leurs masses obscures, entr'aperçues entre les feuillages dorés, inspiraient la crainte, mais c'étaient en fait des animaux paisibles et bucoliques.

Les Indiens des forêts les chassaient peu, préférant le daim, le cerf, le chevreuil. La harde, qui ce matin-là paissait les hautes herbes au pied de la montagne, ne se troubla pas lorsqu'un groupe d'hommes passa dans le vent de leurs naseaux subtils.

Joffrey de Peyrac, accompagné du Normand Roland d'Urville, du flibustier dunkerquois Gilles Vanepreick et du père Récollet Erasme Baure, après avoir laissé son chébec dans le havre abrité, sur la rive orientale de l'île, avait entrepris de gravir la montagne. C'était, à moins d'une lieue par mer de Gouldsboro, un sommet de mille cinq cents pieds, le point culminant de la région, que composaient, jumelés, deux énormes dômes de granite rose.

Sitôt franchie la zone des feuillus qui battait de son écume verte le pied du mont, en s'élevant toute végétation disparaissait hors les houppes sombres de quelques pins rabougris, et à ras de la roche pelée, couleur de chair, les plants de myrtilles vernissées, et des tapis de rhododendrons nains jetant sur les flancs arrondis et usés de somptueux tapis de pourpre et d'aurore.

Le vent rasant, chuchotant, devenait de plus en plus coupant et glacé à mesure que l'on montait.

Les trois hommes, suivis de leur escorte de matelots qui portaient des mousquets, marchaient d'un pas agile et rapide, sans suivre ni chemin ni sentier. Les grandes dalles de granite rose ou violâtre les guidaient et les entraînaient vers le sommet, comme les marches en pente douce d'un escalier usé.

Dans chaque faille, chaque fissure, où le vent avait entraîné un peu de terre arable, mille fleurs courtes et précieuses, joubarbes, saxifrages, orpins, soutachaient de leur broderie délicate ces grands pans de pierre nue.

Indifférent à tant de joliesse mêlée de tant de sauvagerie, le comte de Peyrac avançait le front baissé, soucieux de parvenir au sommet avant qu'un brouillard capricieux, toujours imprévisible, ne vînt lui dérober l'horizon.

Examiner le panorama étendu qui se découvrirait de là-haut, dénombrer chaque île, scruter chaque repli des criques et du promontoire, tel était le but qu'il s'était fixé en entreprenant cette ascension.

Le temps était compté. Les jours se précipitaient dans le tohu-bohu de la saison vivante, le tumulte des choses et des êtres qui s'éveillent, et se ruent dans le courant de l'été, gloutonnement.

Les Indiens venaient aux rivages pour la traite, les navires des Blancs arrivaient pour la pêche, les hommes bûcheronnaient, plantaient, commerçaient et de grands tourbillons les brassaient tous dans la fièvre des trop courtes saisons.

Les événements se nouaient et se chevauchaient.

Une dizaine de jours plus tôt, après avoir quitté à Pentagoët, sur le Pénobscot, son jeune allié le baron de Castine, le comte de Peyrac avait marché vers l'est en direction de Gouldsboro.

Il s'était attardé en chemin.

Chemin peu accessible encore, au voisinage de deux petites mines d'argent et de sylvanite, minerai à or invisible et noir qu'il possédait par là. Il s'arrêtait, jugeait les travaux, réconfortait les mineurs qui y avaient hiverné, leur laissait Clovis comme contremaître, repartait. Un peu plus loin, l'attendait l'aumônier de Saint-Castine, un Récollet, le père Baure, chargé d'un message de la plume du baron.

Ainsi apprenait-il les massacres de l'Ouest. Les Abénakis avaient déterré la hache de guerre et ravageaient maintenant les colonies anglaises du Maine en direction de Boston.

« ... Je parviens à tenir en laisse mes tribus, écrivait Saint-Castine. Donc, nul ne bougera dans nos régions. J'ai fait mander aux traitants anglais de Pemaquid et de Wiscasset, mes voisins, de n'avoir point à s'effrayer cette fois-ci et de demeurer chez eux.

» Néanmoins, ils se sont réfugiés dans l'île de Newagan avec vivres et munitions. Pourtant, je me porte garant que la paix, avec votre secours, sera maintenue dans nos juridictions.

Ainsi parvenait Peyrac à Gouldsboro.

Il y apprenait simultanément qu'Angélique n'était pas arrivée à Gouldsboro après s'être embarquée sur *Le Rochelais* à la baie de Sabadahoc, ainsi que le matelot inconnu lui en avait donné la nouvelle, mais que son fils Cantor, après avoir mené jusqu'à

Gouldsboro une chaloupe de réfugiés anglais, venait de repartir avec ledit *Le Rochelais* et son capitaine Le Gall, pour la chercher sur la baie de Casco où elle se trouvait, disait-on, en compagnie de malades et de blessés.

Rassuré à la fois sur le sort de sa femme et contrarié par ces contretemps, chassés-croisés, agissements incompréhensibles des uns et des autres, Joffrey de Peyrac hésita à se jeter sur les traces de son fils, puis, devant la fièvre qui régnait en son établissement de l'Océan, décida de prendre patience.

La rencontre de l'homme aux perles de « Cambis » sur le Kennebec, du navire à la flamme orange n'en continua pas moins de le tourmenter. Qui étaient ces gens qui lui avaient menti? Avaient-ils mal saisi un renseignement jeté dans le brouillard, d'une rambarde à l'autre d'un navire?

Il fallait attendre le retour d'Angélique et de Le Gall pour tirer au clair cet imbroglio. Le principal était qu'Angélique fût saine et sauve. Pourtant, il ne serait pleinement rassuré que lorsqu'il pourrait la tenir dans ses bras.

Or, ceci se passait quatre jours plus tôt et, tandis qu'il gravissait à grandes foulées le mont Désert, n'y avait-il pas aussi dans sa hâte le secret espoir de distinguer le premier une voile au loin, le rassurant?

Derrière lui, ses deux compagnons échangeaient quelques boutades hachées par les rafales du vent. Gilles Vaneireick, Français de nationalité, réformé, converti d'origine, joyeux et pétulant serviteur du roi de France, mais préférant le servir de loin, portait une redingote de satin jaune dont les boutons étaient d'authentiques pistoles, une culotte de soie prune, des bas verts plissés. Un foulard d'indienne à fleurs ceignait son front sous son chapeau à plumes de perroquet, et une écharpe de même tissu fleuri, son ventre légèrement bedonnant. Agile, alerte malgré cet embonpoint, il avait la réputation d'être un diable au combat et de n'avoir jamais été atteint d'une seule blessure. L'unique cicatrice qu'il portait était la marque que lui avait faite à la longue, au revers de la main, la coquille de son sabre d'abordage... pour s'en être servi jour et nuit... vous m'entendez : jour et nuit!...

Homme du Nord, de ce plat pays qui fut si longtemps sujet de Charles Quint et de ses descendants, il avait l'œil sombre et la moustache en crocs, noire, à l'espagnole, surajoutés à une sensualité flamande et bon enfant.

Le comte de Peyrac en avait fait son ami dans les Caraïbes, et Vaneireick avait décidé de venir lui rendre visite dans son établissement du Nord, la saison étant trop dure avec les Espagnols, estimait-il, pour un petit flibustier de Saint-Christophe.

Il était arrivé de concert avec le *Gouldsboro*, commandé par Erickson, et de retour d'Europe.

Le *Gouldsboro* amenait des hommes artisans et quelques réfugiés huguenots. En revanche, sur le navire du corsaire, il y avait des femmes à peau plus ou moins sombre, dont une métisse hispano-indienne d'une grande beauté qui était la maîtresse du Dunkerquois. Elle se mit aussitôt à danser sur la plage au son des castagnettes et au grand déplaisir de MM. Manigault et Berne, chargés de la discipline du port et de la moralité de leur petite communauté protestante.

La nuit du solstice d'été avait été marquée de bagarres assez violentes. La présence de Joffrey de Peyrac avait empêché que cela tournât trop mal, mais le gouverneur d'Urville disait qu'il en avait assez de tous ces enragés et qu'il voulait démissionner.

Au lendemain de cette nuit mouvementée de la Saint-Jean, Peyrac les emmenait sur la montagne pour leur alléger un peu l'esprit. Et lui-même ressentait le besoin de s'éloigner, de faire le point. Et puis il espérait qu'un bon vent lui permettrait d'apercevoir du sommet, si lointaine fût-elle, la voile de vaisseau ramenant Angélique.

Enfin, une autre idée lui était venue à propos de ce navire suspect qui les avait rejoints sur le Kennebec et dont il avait vu l'oriflamme orange flotter au-dessus des arbres. Il voulait vérifier son hypothèse.

Derrière lui, le petit groupe de ses subordonnés, lieutenants et amis, devisaient tout en escaladant d'un pied leste les grandes dalles de granite rose.

Urville interrogeait Vaneireick sur les raisons qui l'avaient poussé, lui flibustier des Antilles, à venir tâter sa chance dans la baie du Massachusetts et la Baie Française.

Le Flamand ne dissimulait pas ses raisons.

— Je suis trop petit compère pour les énormes galions espagnols de six cents tonneaux armés jusqu'aux dents, escortés d'une véritable meute, qu'on rencontre maintenant dans les Caraïbes. En revanche, je pourrais commencer avec M. de Peyrac : sucre, mélasse, rhum, coton, en échange de morue séchée, bois de mâture... et peut-être pourrions-nous unir nos efforts pour attaquer quelques-uns de ses ennemis.

— Nous verrons, répondait Peyrac... Radoubez-vous, rafraîchissez-vous dans nos domaines, sans ambages. J'ai dans l'idée que vous pourriez en effet me prêter assistance d'ici peu contre Barbe d'Or. Ce pirate dont vous avez dû entendre parler à la Jamaïque.

Ils parcouraient maintenant le sommet.

Le vent qui rasait d'une lame aiguisée le crâne chauve du mont Désert les assaillit avec tant de violence qu'ils eurent de la peine à se tenir debout. Vaneireick déclara forfait le premier. Il dit qu'il était habitué aux pays chauds, et, gelé jusqu'aux moelles, il alla s'abriter sur le versant le moins exposé derrière une anfractuosité de rocher. Roland d'Urville le rejoignit bientôt en se cramponnant à son feutre des deux mains. Le père Erasme Baure, barbe au vent, résista le temps d'un pater et d'un ave, puis s'estima quitte ainsi que les matelots de Vaneireick.

Enrico Enzi, qui escortait Peyrac, restait stoïque, jaune comme un coing, enveloppé dans ses écharpes et turbans à l'arabe qui composaient son habituel habillement de Méditerranéen de Malte.

— Vá, va, lui dit le comte, va t'abriter.

Il demeura seul au sommet du mont Désert, arc-bouté, dans le grand vent incessant, et ne pouvait lasser son regard du panorama étendu sous ses yeux.

Là étaient étalés, inscrits en hiéroglyphes de terre et d'eau, tout le charme, le gigantesque et la complexité d'un pays qui s'éveillaient en pleine vigueur, gardant sans cesse en réserve des spectacles rares.

Partout, la mer forçant la terre, partout, la terre s'allongeant en péninsules, promontoires à travers l'étendue bleue et moirée de l'océan cahotique, mais qui, vu de si haut, avait des mollesses et des suavités de satin. Iles couronnées d'ébène, par les sapins, îles embuées d'or vert par les bosquets de bouleaux printaniers.

Le fond de la baie là-bas, complètement rose, un socle de rocs roses et rouges affleurant des grès sédimentaires du minerai de fer, vieux grès presque mauves parfois pour avoir été trop comprimés par les énormes glaciers de la nuit des temps.

Dans le gravier des moraines des fleuves plus récentes que le grès, on trouvait les restes millénaires d'éléphants velus, aux défenses en cor de chasse. Granite arrondi par le rabot géant des glaces, et, à d'autres endroits, falaises à pic, des cassures d'effondrement, reflétant, mirant l'éclat de leurs blessures vives dans l'eau des rades profondes.

Et les baies, les îles, les fleuves piégés de mascarets où l'on ne pouvait pénétrer qu'à marée haute, avec leur cortège de brouillards et de tempêtes, les grèves où s'ébattent les loups-marins, les rives couvertes de forêts, pullulant de bêtes à fourrure, où l'on voit l'ours noir séchant d'un coup de patte au bord de la vague, pullulant d'Indiens pour troquer la fourrure avec les navires, toute cette

276

grand portion de terres déroulée autour de la
Baie Française, telle qu'elle se présente comme une
petite Méditerranée, et aussi farcie de pirates et
de trafic que la Nostra Mare, aussi bleue parfois,
plus riche en poissons, mais plus vierge, rivages
neufs au lieu d'être rivages antiques, ici plages
roses ou blanches, ou bleutées, ou rouge fram-
boise même parfois, ce désert, ce paradis, ce chau-
dron de sorcière, qui se rétrécit en un gouffre où
de plus en plus l'on s'enfonce dans l'obscurité des
brumes, parmi les mugissements du ressac, jusqu'à
ce cul-de-sac du fond de la Baie Française où les
quatre frères Défours, Marcelline-la-Belle et ses dix
enfants, Gontran-le-Jeune, gendre du vieux Nicolas
Parys, et quelques autres encore pataugent dans
les marécages de Chighectou, et vendent leurs cor-
beillons de charbon de terre au navire le plus offrant,
tandis que le père Jean Rousse les maudit pour
leur impiété et leur sauvagerie, ce lieu infime du
monde américain et pourtant gigantesque pour
l'être misérable qui cherchait à s'y accrocher, avait
déjà une histoire à son image, ignorée, cruelle et
dispersée sur des étendues et les abîmes des horizons
perdus, une histoire pleine de tristesse et de douleurs (1).

Joffrey de Peyrac se penchait dans l'ovale rond
du bassin abrité de l'île, il apercevait, minuscule,
son chébec, à la ligne élancée et aiguë.

Ce bateau avait été construit sur ses plans à
Kittery, en Nouvelle-Angleterre, déjà une vieille

(1) Hors les combats de la guerre franco-anglaise, l'histoire
de l'Acadie fut marquée, lors des années 1620-1640, par la
rivalité sanglante de deux Français : Charles Latour et
Pierre d'Aulnay, qui prit l'ampleur d'une véritable tragédie.

ville de la mer, sur la Pistaquata river, dans l'Etat du Massachusetts. Que restait-il à cette heure-ci de l'actif chantier naval? Des cendres, peut-être? La guerre indienne, réveillée, allait créer pour tous des perturbations incalculables.

Des oiseaux montaient en ronde criarde vers les sommets. Ils annonçaient l'un des seigneurs maîtres des lieux. Le brouillard...

Joffrey de Peyrac replia sa lunette d'approche et rejoignit ses compagnons qui, le nez enfoui dans leurs collets, prenaient leur mal en patience.

Il s'assit à leurs côtés, drapé dans son vaste manteau. Le vent sauvage rabattait les plumes multicolores de leurs chapeaux. L'assaut silencieux du brouillard les atteignit soudain, roulant ses vagues fumeuses aux flancs roses du mont, les enveloppa, les engloutit dans des limbes. Sous son haleine immense, le vent cédait, s'enfuyait en chuchotant, et un temps de calme régna. Les hommes blancs, seuls dans l'univers aveugle, étaient comme assis dans la nuée, au-dessus d'un monde disparu.

— Alors, monsieur d'Urville, il paraît que vous vous apprêtez à me donner votre démission de gouverneur de Gouldsboro? dit Peyrac.

Le gentilhomme normand rougit, pâlit et regarda le comte comme si celui-ci avait eu le pouvoir inquiétant de lire les pensées les plus cachées. Il n'y avait pourtant, en l'occurrence, rien de bien sorcier à cette divination. Peu de jours auparavant, Peyrac l'avait vu s'arracher les cheveux devant les difficultés de sa juridiction.

Il y avait trop de monde maintenant à Gouldsboro, s'écriait-il. Entre les Huguenots, les mineurs, les pirates, les matelots de toutes nationalités, il y perdait son latin qui n'avait jamais été bien fameux. Où était le bon temps où, quasiment le seul maître en ce coin désert, il se livrait à un lucratif commerce de pelleterie avec les Indiens et les navires plus rares qui se risquaient dans le port non aménagé et d'accès difficile.

Mais aujourd'hui c'était la foire continentale et lui, d'Urville, gentilhomme normand de la pointe du Cotentin, il n'avait même plus le temps d'honorer de ses faveurs sa belle épouse indienne, fille du chef local Abénaki-Kakou, ni d'aller, sous prétexte de visiter quelque lointain voisin Français ou Anglais, se distraire un peu sur les flots tumultueux de l'Océan.

— Monseigneur, s'écria-t-il, ne croyez pas que je veuille cesser de vous servir. Pour être à vos ordres et vous assister au mieux de mes talents, je serai toujours là, pour courir sus à vos ennemis, défendre à la pointe des canons ou même de mon épée vos domaines, commander vos soldats, vos marins, mais là où je n'ai point de capacités, je l'avoue, c'est pour m'y reconnaître quand entrent en jeu à la fois les Saints, les Démons et les Ecritures. Vos Huguenots sont travailleurs, courageux, capables, industrieux et commerçants en diable, et em... en diable. Ils feront de Gouldsboro une cité très propre, mais nous ne sortirons pas des palabres, car on ne saura jamais quelle loi y faire régner. Quoi qu'on leur ait fait à La Rochelle, ces gens-là sont comme mutilés de ne plus se sentir sujets du roi de France, mais qu'un Français s'amène avec une médaille de la Vierge au cou et

les voilà qui entrent en transe et veulent lui refu-
ser même de se ravitailler d'eau douce en leur
coin. Nous ne nous sommes pas trop mal entendus
cet hiver, nous causions beaucoup près du feu lorsque la tempête faisait rage. Je suis un peu mécréant
— pardonnez-moi, mon père — et je ne risquais
point de les importuner avec mes patenôtres. Et
nous nous sommes bien battus de concert quand il
l'a fallu contre ce pirate de Barbe d'Or. Mais c'est
parce que je les connais trop bien maintenant que
je ne me sens pas assez diplomate pour maintenir
la balance entre religionnaires trop divers de
nationalité exacerbée et tous ces pirates.

Joffrey de Peyrac se taisait. Il songeait à son
ami le capitaine Jason, Huguenot persécuté et plié
aux caractères latins par la Méditerranée, qui eût
fait merveille dans le rôle que refusait d'Urville.
Mais Jason était mort et aussi l'admirable savant
le docteur arabe Abd-el-Mechrat qui eût pu l'assister dans sa tâche. Le joyeux et perspicace d'Urville
ne se dérobait point par lâcheté, ni même paresse,
bien qu'une vie sous le signe de la plus grande
liberté lui eût donné une certaine propension au
bien-aise.

Mais cadet de famille et comme tel n'ayant béné-
ficié d'aucun enseignement professionnel à part
celui de tenir l'épée et d'enfourcher une monture,
sachant à peine lire, il connaissait ses propres
lacunes. Un duel à mort l'avait conduit aux Amériques, pour sauver sa tête des lois instituées par
M. le cardinal de Richelieu. Nulle autre nécessité n'aurait pu l'y mener, car il ne concevait pas
la vie hors des tavernes et des tripots de jeu de
Paris. Heureusement pour lui, il était fils de la

presqu'île du Cotentin, cette corne d'escargot de la France, qui dresse son œil de gastéropode pour lorgner l'Angleterre, presque une île dans la solitude de ses côtes sauvages et de ses bocages et landes.

Elevé dans un vieux château de la pointe de La Hague, d'Urville aimait et comprenait la mer, sa nourrice. Aujourd'hui, il pourrait faire merveille en gardant la haute main sur la petite flotte de Gouldsboro, qui, chaque saison, s'augmenterait de nouvelles unités, mais Joffrey de Peyrac comprenait aussi la nécessité de décharger ses épaules d'un poids qui dépassait ses compétences.

— Et vous, monsieur Vaneireick, si vous êtes lassé de l'aventure espagnole, les honneurs de vice-roi sous nos latitudes ne vous tentent-ils pas?

— Peut-être!... Mais lorsque j'aurai gagné une jambe de bois. Je préfère encore cela plutôt que vendre des raves et des noix de coco sur les routes de « La Tortue »... Plaisanterie à part, mes coffres ne sont pas assez remplis. Il faut être riche pour en imposer à une population mi-partie d'aventuriers, mi de parpaillots. J'ai déjà scandalisé ces derniers avec mon Iñès. Avez-vous vu Iñès?

— J'ai vu Iñès.

— N'est-elle pas ravissante?

— Elle est ravissante.

— Vous comprenez que je ne peux renoncer encore à cette charmante créature. Mais, plus tard... l'affaire me plairait assez... Voyez Morgan, le plus grand pirate et pilleur de notre temps, le voici aujourd'hui gouverneur de la Jamaïque, et je vous promets qu'il ne badine pas avec l'ordre, et les princes mêmes lui tirent leur chapeau... Je me sens de son espèce. Je suis moins sot que j'en ai l'air, savez-vous!

— C'est bien pour cela que je vous faisais une telle proposition en toute confiance...

— Vous m'en voyez tout honoré, mon cher comte... Plus tard! Plus tard. Voyez-vous, je n'ai pas encore jeté ma gourme, comme un vieil adolescent que je suis.

17

Le brouillard se retirait.

Joffrey de Peyrac se leva et retourna vers la plate-forme du sommet.

— Est-ce Barbe d'Or que vous cherchez et que vous espérez apercevoir, caché dans quelque trou? demanda Urville.

— Peut-être!

Que cherchait-il exactement, qu'espérait-il découvrir dans ce labyrinthe d'eau et d'arbres étalé à ses pieds? C'était moins une déduction logique qu'un flair de chien de chasse qui l'avait conduit au sommet de ce belvédère.

L'homme aux « lambi »... L'homme auquel il avait donné des perles roses sur le chemin du Kennebec. L'homme qui lui avait menti, était-ce seulement un complice de Barbe d'Or?... Le vaisseau mystérieux? Etait-ce celui du pirate? Et pourquoi, par deux fois, avait-on cherché à l'égarer quant au sort d'Angélique?

Ces « erreurs » étaient-elles le fruit du hasard?...

Il n'y croyait pas. Il est rare qu'en mer les nouvelles portées de bouche à bouche ne soient pas transmises dans leur vérité totale. Car c'est la solidarité, et l'âme, et l'espoir des marins qui exigent cela... Pourquoi alors ces subites tromperies répétées? Quel nouveau danger pointait là?...

D'un coup d'aile, une dernière rafale de vent balayait la baie jusqu'à la ligne de l'horizon. Le ciel blanc-bleu et pur planait sur la mer comme une aile, comme une conque nacrée et sonore.

Le gentilhomme dut lutter pas à pas, penché, comme envers une force contraire, pour avancer, atteindre l'extrémité du plateau, s'y allonger afin de donner moins de prise au vent.

La lunette d'approche rivée à l'œil, point par point, il scrutait les archipels dispersés.

Là, il découvrait un navire à l'ancre, là, une barque, là, une flottille d'Indiens qui traversait le détroit, là, deux chaloupes de morutiers, et plus loin, contre un îlot, les morutiers eux-mêmes.

L'équipage était à terre. On voyait monter la fumée des calfats, des rôtissoires ou des boucans.

Au fur et à mesure qu'il poursuivait son inspection, il ressentait les arêtes dures du granite contre sa poitrine comme une souffrance, une oppression.

Trouverait-il ce qu'il était venu chercher sur le mont chauve balayé de rafales?...

A l'ouest, commençant à surgir dans les déchirures du brouillard, à contre-jour, se déroulait la chaîne des montagnes Bleues, d'un bleu si bleu que la baie à ses pieds portait son nom : *Blue Hills Bay.*

C'était là-bas, derrière, qu'Angélique peut-être était en danger?...

— Angélique! Angélique! Ma vie!

Cramponné à la pierre aride, il l'appelait d'un élan qui eût voulu franchir les distances insondables.

Elle était une entité soudain lointaine et sans visage, mais chaleureuse et infiniment animée, attirante, dans son charme unique.

— Angélique! Angélique! Ma vie!...

Avec un sifflement, la bise près de lui cinglait, on eût dit un chuchotement cruel.

« Il vous séparera! Vous verrez! vous verrez! »

La prédiction de Pont-Briand, l'homme tué pour avoir désiré Angélique, lui sifflait aux oreilles : « Il vous séparera... vous verrez! »

Dévoré d'une angoisse brusque, il porta machinalement la main à sa poitrine. Puis, se ravisant :

— Mais que puis-je craindre?... Demain, après-demain au plus tard, elle sera là... Angélique n'est plus comme autrefois une jeune femme fragile et sans expérience. Elle m'a plus d'une fois prouvé que la vie ne la désarçonnait pas. Elle pourrait faire face à n'importe quoi. Ne vient-elle pas de le montrer encore en échappant — Dieu sait comment! — à cette étrange embuscade de Brunschwick-Falls?... Oui, elle est bien de la race des guerriers et des paladins, mon indomptable! On dirait que le danger la rend plus forte, plus efficiente, plus lucide... plus belle encore... comme si elle en nourrissait son incroyable vitalité!... Angélique! Angélique!... nous passerons à travers tout, n'est-ce pas, ma chérie!... Tous les deux... Où que tu sois, je sais que tu me rejoindras...

Il tressaillit. Tandis qu'il songeait, son regard errant avait accroché parmi le fouillis des îles un détail insolite. Une flamme orange à la pointe d'un mât, cachée parmi les arbres d'une île. Il resta longtemps immobile, comme un chasseur en arrêt, l'œil attentif, fixé à l'instrument d'optique. Puis il se redressa, songeur.

Il avait trouvé ce qu'il était venu chercher au sommet du mont Désert.

18

— Monseigneur! Monseigneur!

Alors que le chébec du comte de Peyrac doublait la pointe de Shoodic, une voix le hélait, venue d'un morutier français qui voguait à quelques encablures sous le vent.

Il reconnut à la rambarde Yann Le Couennec, qu'il avait envoyé de Popham à la recherche d'Angélique.

Peu après, les deux navires ayant jeté l'ancre face aux quais de Gouldsboro, le comte, d'un pas hâtif, rejoignait le Breton.

— Parle! Parle vite!

Yann ne montrait pas son habituelle figure joviale et Joffrey de Peyrac sentit son cœur serré d'appréhension.

— As-tu pu joindre Mme la Comtesse? Pourquoi

n'est-elle pas avec toi? Avez-vous croisé *Le Roche-lais*?

Le pauvre Yann baissait la tête. Non, il n'avait pas croisé *Le Rochelais*. Oui, il avait pu joindre Mme la Comtesse, après avoir traversé la région d'Androscoggi mise à feu et à sac par les Indiens et il l'avait trouvée en perdition sur la baie de Casco.

— Je sais tout cela... Cantor nous a prévenus. Il est reparti les chercher.

Las! Il était trop tard, pleura Jacques Yann. Cantor trouverait place vide. Barbe d'Or avait capturé Mme de Peyrac comme otage. Il s'empressa d'ajouter, afin d'atténuer les effets de l'atterrante nouvelle, qu'il ne croyait pas Mme la Comtesse en danger. Elle savait se défendre et ce pillard paraissait avoir un équipage bien tenu. Et elle avait eu le sang-froid de le faire évader à temps, lui, Yann, afin qu'on pût donner à savoir ce qu'elle était devenue.

Il conta en quelles circonstances s'était effectuée son évasion.

— J'ai couru, et heureusement ils ne m'ont pas poursuivi; j'ai marché une journée entière en suivant la côte. Vers le soir, en approchant d'une crique, j'ai eu la chance de trouver ce morutier français au mouillage. L'équipage était descendu à terre pour la corvée d'eau douce. Ils m'ont accepté à leur bord et ont bien voulu se dérouter pour me mener ici au plus vite.

Joffrey de Peyrac était livide. Il serrait les poings.

— Barbe d'Or! Toujours ce bandit... Je le pourchasserai à mort! Il a déjà capturé le chef de mes mercenaires, le mois dernier, et maintenant ma femme!... Quelle impudence!

Il songeait avec inquiétude à Le Gall et à Cantor qui avaient dû parvenir au lieu du rendez-vous pour y trouver place déserte ou pire : occupée encore par les dangereux malandrins des mers. Découvrant que sa mère était entre leurs mains, Cantor ne serait-il pas tenté de se lancer dans une action de guerre prématurée? Non! L'enfant était prudent! En Méditerranée, il avait appris les ruses de la vie de corsaire. Sans doute se contenterait-il de prendre en surveillance étroite le navire de Barbe d'Or, tout en essayant de faire parvenir la nouvelle à son père.

Malheureusement, le navire *Gouldsboro* ne serait pas en état de soutenir une chasse et un combat avant deux jours. En travaillant toute la nuit, peut-être pourrait-on prendre la mer le lendemain soir avec le chébec auquel on ajouterait deux canons, et le vaisseau de Vaneireick. Il fallait espérer que le pirate se laisserait intimider par ce déploiement de forces et que l'on pourrait parlementer.

Joffrey de Peyrac fit volte-face et revint vers le Breton.

— Qu'y a-t-il encore que tu n'oses me dire?... Que me caches-tu?

Son regard brûlant se rivait à celui de Yann effaré, et qui de la tête faisait des signes véhéments de dénégation.

— Non... Monseigneur, je vous jure... Je vous fais serment sur les images de la Vierge et de sainte Anne... Je vous ai tout dit... Pourquoi?... Qu'imaginez-vous que je vous cache?...

— Lui est-il donc arrivé quelque chose?... Elle est blessée, n'est-ce pas?... Malade?... Parle...

— Non, monseigneur, je ne vous dissimulerais pas de tels malheurs... Il se fait que Mme de Peyrac est en très bonne santé... Elle soutient tous les autres... Si elle est restée là-bas, c'est précisément à cause des malades et des blessés... Elle a même recousu le ventre d'un de ces sagouins, celui qui l'a vendue...

— Oui, cela aussi, je le sais...

L'œil perspicace de Peyrac scrutait l'honnête visage de son matelot dont l'hiver passé avait fait pour lui un compagnon et un ami. L'Iroquois ne l'avait pas fait trembler ni les approches de la famine. Or, aujourd'hui, Yann tremblait. Peyrac entoura de son bras les épaules du jeune homme.

— Qu'as-tu?...

Et Yann crut qu'il allait éclater en sanglots comme un enfant. Il baissa la tête.

— J'ai beaucoup marché, murmura-t-il, et ce n'était pas facile d'échapper aux sauvages en guerre.

— C'est vrai... va te reposer. Il y a une espèce d'auberge, sous le fort, que tiennent Mme Carrère et ses filles. On y fait bonne chère et l'on y boit dès aujourd'hui du vin de Bordeaux arrivé d'Europe. Répare tes forces et tiens-toi prêt à faire campagne avec moi dès demain, si le temps nous est propice.

Le comte de Peyrac et Roland d'Urville réunirent dans l'une des salles du fort, qui tenait lieu de salle du conseil, Manigault, Berne, le pasteur Beaucaire et les principaux notables huguenots; ils demandèrent à Vaneireick et à son second d'être présents, ainsi qu'Erikson, le capitaine du *Gouldsboro*. Le père Baure assistait également au Conseil.

Don Juan Alvarez, le commandant de la petite garde espagnole, se tenait derrière le comte comme une sombre figure hiératique veillant sur son salut.

Joffrey de Peyrac les mit tous brièvement au courant des derniers événements. Le fait que son épouse, la comtesse de Peyrac, était tombée entre les mains de leur ennemi, l'obligeait à une extrême prudence. Pour avoir vécu aux Caraïbes, ils connaissaient les mœurs des gentilshommes d'aventure et Gilles Vaneireick en témoignerait comme lui, Mme de Peyrac ne risquait pas d'être maltraitée tant qu'elle représentait valeur d'otage. Jamais grande dame capturée, qu'elle fût espagnole, française ou portugaise, n'avait eu à se plaindre de ses geôliers, en attendant la généreuse rançon qui lui permettrait de retrouver la liberté. On racontait même que quelques-unes d'entre elles, quand le flibustier était de bonne mine, n'avaient point trop de hâte de voir se terminer leur captivité. Mais l'on savait aussi que, pourchassées, acculées à la bataille ou au naufrage, déçues dans leur espérance de rançon, certaines de ces brutes prêtes à tout n'hésitaient à mettre leurs menaces contre les otages à exécution.

Il fallait également prévoir qu'en cas d'attaque sur Gouldsboro le poste ne disposerait que d'une défense terrestre. Avant de s'éloigner, on procéda à la répartition des munitions.

Sur ces entrefaites, la sentinelle espagnole passa

une tête effarée, casquée d'acier noir, par l'entre-bâillement de la porte, et s'écria :

— Excellenzia, quelqu'un vous demande.

— Qui est-ce?

— Un « hombre ».

— Qu'il entre!

Un homme, bien bâti et fort barbu, vêtu d'un seul pantalon de marin, déguenillé et trempé, apparut sur le seuil.

— Kurt Ritz! s'exclama Peyrac.

Il venait de reconnaître dans l'arrivant « l'autre » otage de Barbe d'Or, le mercenaire suisse, qu'il avait engagé comme recruteur, lors d'un voyage au Maryland. Les habitants de Gouldsboro le reconnurent également, car il avait débarqué chez eux en mai, avec les soldats levés par lui pour le service du comte de Peyrac. Il s'apprêtait à partir pour l'arrière-pays lorsqu'un soir il s'était laissé surprendre sur le rivage par les hommes de Barbe d'Or embusqués dans les îles et qui avaient entre-pris le siège de Gouldsboro. C'était peu avant le combat décisif qui avait obligé le pirate à s'enfuir. On craignait que Kurt Ritz eût payé les frais de cette défaite. Or, il était là, apparemment en bonne santé, quoique fatigué, semblait-il, par une longue course.

Peyrac le prit aux épaules, cordialement.

— *Grüss Gott! Wie geht es Ihnen, lieber Herr?* Je m'inquiétais de votre sort.

— J'ai enfin réussi à m'enfuir de ce sacré bateau, de ce sacré pirate, monseigneur.

— Quand cela?

— Il n'y a guère plus de trois jours.

— Trois jours, répéta Peyrac songeur. Le navire de Barbe d'Or ne se trouvait-il pas alors au nord de la baie de Casco, vers la pointe Maquoit?

— Monsieur, vous êtes devin!... C'est bien là en effet le nom que j'ai entendu prononcer par les hommes d'équipage... Nous avions jeté l'ancre à l'aube... Il y avait beaucoup d'allées et venues avec la terre, un certain désordre... Vers le soir, j'ai remarqué que la cabane où l'on me tenait était mal close. Le mousse qui m'apportait ma pitance avait oublié de cadenasser la porte. J'attendis la nuit profonde et me glissai au-dehors. Je me trouvais situé à l'arrière sous la dunette. Or, tout semblait désert. J'apercevais des feux sur la plage. On aurait dit que l'équipage festoyait à terre. La nuit était sans lune. Je grimpai sur la dunette et j'enjambai le parvis à l'arrière. Puis, en me cramponnant aux moulures, je suis descendu jusqu'au balcon de la grand-chambre. De là, j'ai plongé et j'ai gagné un îlot voisin. J'attendis afin d'être sûr que l'alerte n'était pas donnée. Alors, j'ai repéré une autre île plus loin et j'ai tenté ma chance, bien que je ne sois pas un très bon nageur. A l'aube, j'y étais. Sur le côté ouest, il y avait des réfugiés anglais. Je ne me suis pas mêlé à eux. J'ai attendu à l'est, du côté des falaises. Dans la journée, j'ai vu passer des canoës indiens, des Tarratines, Sébagots, Etchemins qui remontaient vers le nord avec des scalps à leur ceinture. Je leur ai fait signe et leur ai montré la croix que je porte au cou. Nous sommes catholiques, nous autres, dans la haute vallée du Rhône. Ils m'ont pris avec eux et m'ont déposé quelque part à l'embouchure du Pénobscot. J'ai marché de jour et de nuit et, plutôt que de contourner les fjords, j'ai traversé plusieurs bras de mer à la nage. J'ai bien failli me laisser entraîner par les courants et la marée haute... Mais enfin me voici.

— *Gott sei Dank!* s'exclama Peyrac, monsieur Berne, n'aurions-nous pas à portée de main un flacon de bon vin afin de réconforter le plus grand nageur en eau salée des Waldstaeten (1)?

— Si fait.

D'une console, maître Berne tira un flacon de vin de Bordeaux et un gobelet d'étain.

L'homme avala d'un trait. Le sel de la mer l'avait assoiffé, mais il était à jeun et le vin fort lui monta à la tête et lui mit le sang au visage.

— Ouf! *Es schmeckt prima. Ein feiner Wein!* J'ai été tellement ballotté par les flots que la tête me tourne.

— Vous avez eu de la chance, dit quelqu'un. Les tempêtes d'équinoxe menaçaient, mais ne se sont pas déchaînées.

Le Suisse se versa une seconde rasade et parut tout ragaillardi.

— Avez-vous gardé ma bonne hallebarde? interrogea-t-il, je ne m'en étais pas muni lorsque je me promenais dans les rochers et que ces maudits m'ont assailli.

— Elle est toujours au râtelier des armes, lui dit Manigault en désignant des pitons au mur qui soutenaient des lances de diverses tailles et parmi elles une plus longue pique terminée par cette admirable fleur de chardon d'acier de l'arme

(1) Désignation ancienne des premiers cantons suisses. — Cantons forestiers.

helvétique, dont la ferronnerie élégante a caché si longtemps le terrible pouvoir meurtrier qu'elle révélait entre les mains d'un Suisse : la courbe en hameçon du couperet pour crocher et haler, la lame aiguisée pour trancher les têtes, sa pointe effilée pour transpercer les ventres et les cœurs.

Kurt Ritz se saisit de son arme avec un soupir.

— Ah! la voici enfin! Quelles mortelles semaines j'ai passées à me ronger les poings sur cette nef! Et mes hommes, que sont-ils devenus?

— Ils sont au fort de Wapassou.

Tous le regardaient en songeant qu'il s'était sans doute évadé le jour où Angélique de Peyrac avait été capturée par Barbe d'Or. L'avait-il su? Avait-il aperçu l'épouse du comte? Un indéfinissable pressentiment les retenait — et Peyrac lui-même — de l'interroger à ce sujet.

— Vous a-t-on maltraité? demanda Peyrac en hésitant.

— Que non pas! Barbe d'Or n'est pas un « mauvais » et c'est un bon chrétien. Tous les soirs et tous les matins, ses hommes faisaient la prière sur le pont. Mais il veut votre mort, monsieur le comte. Car il dit que les territoires du Maine où vous êtes installé lui appartiennent et qu'il est venu avec les siens pour y fonder une colonie... On lui avait promis que les femmes qui étaient à Gouldsboro seraient pour lui et ses hommes, que c'étaient des filles reléguées.

— Quelle insolence! sursauta Manigault.

— Aussi a-t-il été surpris de la défense éprouvée. Et s'il m'a enlevé, c'était pour avoir une possibilité de négociation, car il est têtu comme une mule. Après avoir été tiré à boulets rouges par ces messieurs ici présents, il est allé se radouber dans une île de la baie de Casco, mais il reviendra...

Le Suisse but encore. Il commençait à planer en pleine euphorie.

— Oh! je pourrais vous dire bien des choses sur Barbe d'Or lui-même car c'est un homme rude, mais honnête, oui, honnête... Il fait peur à ceux qui le voient de loin, mais ses intentions sont droites... Et puis il y a une femme là-dedans... Sa maîtresse... C'est elle qui l'a rejoint à la pointe Maquoit. C'est elle qui doit avoir tout manigancé car elle a l'air d'une fameuse gaillarde... Une de ces femmes qui vous alignent des chiffres sur parchemin, sans une erreur remplissent leur coffres, et vous envoient un bonhomme à la guerre pour les remplir encore... A leur service... Elles ont de quoi payer, les mâtines. Belles comme Vénus, intelligentes. Celui qui n'a pas envie de se faire tuer pour elles, c'est que vraiment il n'aime pas la vie ni l'amour... La maîtresse de Barbe d'Or est une femme de cette trempe... Et belle avec ça... Tout le navire était en effervescence de l'avoir vue monter à bord. C'est une Française. Elle l'attendait là, à Maquoit. Elle a des yeux comme de l'eau de roche, et des cheveux comme un rayon de soleil... C'est grâce à elle que j'ai pu m'évader ce soir-là. Barbe d'Or leur avait distribué à tous trois pintes de rhum par matelot pour fêter l'événement... Quant à lui...

Kurt Ritz renversa la tête en arrière et rit d'un rire silencieux. Puis il lampa encore un verre.

— Lui... je n'aurais pas cru... Mais fou d'elle,

qu'il est... **A** travers les planches de ma cabane, je l'ai vu passer sur le gaillard d'arrière. Il la tenait par le bras et il la regardait... la regardait...

Les vapeurs du vin lui montaient à la tête, il pérorait, sans s'étonner de leur silence, sans se troubler de ne les discerner que figés comme des cierges, dans un halo trouble, avec des faces sans sourires, durcies, gelées.

— Le nom de cette femme? fit la voix du comte, brève.

Sa voix paraissait surgir d'un univers cotonneux, et elle était sourde, lointaine. Tous les hommes présents se sentaient saisis de panique et d'une envie de s'enfuir. Kurt Ritz branla la tête.

— *Weiss nicht!* Tout ce que je sais, c'est qu'elle est française... et qu'elle est belle, ça oui! *Et qu'il l'a dans la peau, Barbe d'Or,* à en crever... JE LES AI VUS... la nuit... dans la grande chambre, par la fenêtre du château arrière... La fenêtre était ouverte... J'étais descendu jusque-là et j'ai risqué un œil... Il y avait une chandelle sur la table et je les ai vus... La femme était nue dans les bras de Barbe d'Or... Un corps de déesse... et ses cheveux sur les épaules... Au soleil, je les avais crus blonds, mais là j'ai vu qu'ils étaient comme une coulée de clair de lune... Une nappe d'or pâle... Des cheveux de fée... Il y a quelque chose en cette femme qu'il n'y a à nulle autre, quelque chose de... merveilleux... Je comprends qu'il en soit fou, le pirate... Je n'osais pas plonger à cause de cette fenêtre ouverte... Même des gens qui sont occupés à s'aimer peuvent avoir l'oreille fine... Et Barbe d'Or, c'est un chef : toujours aux aguets... J'ai dû attendre un peu...

295

Il parlait, parlait. Il était ivre maintenant et parlait sans s'étonner du silence écrasant, sans réaliser ce qu'il y avait d'inquiétant à ce qu'on le laissât parler ainsi, décrire, s'attarder sur cette scène d'amour.

Il répéta en dodelinant de la tête :

— D'où vient-elle, cette femme? Je n'en sais rien. Elle l'a rejoint là-bas... Son nom... Attendez, je crois me souvenir. J'ai entendu... Pendant qu'il lui faisait l'amour, il l'appelait « Angélique! Angélique! ». Un nom qui lui va...

... Il y eut un silence terrible!

Et, subitement, la hallebarde s'échappait des doigts de Kurt Ritz. L'homme vacillait, reculait, s'appuyait au mur, dégrisé, le teint soudain pâle, les yeux exorbités fixés sur Peyrac.

— Ne... ne me tuez pas, monsieur!

Pourtant personne n'avait bougé. Ni même le comte de Peyrac, toujours aussi droit et immuable. Mais c'était de son regard sombre que le Suisse avait senti jaillir l'éclair de mort. En homme des champs de bataille, il avait su qu'elle était sur lui, la mort. Dégrisé, sans comprendre, son regard s'attachait à celui de Peyrac, certain d'un danger mortel.

En même temps, avec une prescience effarée, il s'apercevait que tous les personnages de cette scène pour lui incompréhensible, ceux qui se tenaient là présents comme des spectres, dans un silence de tombe, auraient tous et chacun préféré être sourds, muets, aveugles, six pieds sous terre, que d'avoir à supporter l'instant qui passait, dans cette pièce close.

Il avala sa salive avec effort.

— Qu'arrive-t-il, messires? gémit-il. Qu'ai-je dit?

— Rien!

Le Rien tombait comme un couperet des lèvres de Peyrac.

Encore une fois, le timbre du maître paraissait venir d'un autre monde.

— Rien que vous n'ayez à vous reprocher, Ritz... Allez... Allez, maintenant. Vous avez besoin de repos... Dans quelques jours, il vous faudra rejoindre vos hommes dans les Appalaches, au fort de Wapassou...

D'une démarche titubante, l'homme gagna la porte. Quand il fut sorti, chacun s'empressa de se retirer en silence, non sans avoir auparavant effectué un profond salut, devant le maître de Gouldsboro comme ils l'eussent fait, se retirant, devant le roi.

Chacun, au-dehors, remit son chapeau sur sa tête et s'en fut sans un mot, vers sa demeure. Sauf Gilles Vaneireick qui attira d'Urville à part et lui dit : Expliquez-moi...

19

Alors Joffrey de Peyrac se tourna vers Juan Fernandez.

— Envoyez-moi Yann le Couennec.

Lorsque Yann pénétra dans la salle du conseil, le comte s'y trouvait seul. Incliné sur une carte déployée, il semblait l'examiner avec attention.

Sa chevelure touffue, que marquait aux tempes une nuance argentée, cachait à demi son visage comme absorbé par l'examen de la carte, et ses paupières baissées voilaient son regard.

Mais lorsqu'il se redressa et posa les yeux sur Yann, celui-ci tressaillit, pénétré d'un sentiment d'anxiété qui se lova en lui comme un serpent froid.

« Qu'a-t-il donc? Qu'a donc mon maître? songea-t-il. Malade? Blessé? Frappé... On dirait... frappé au-dedans?... Frappé à mort... »

Joffrey de Peyrac contourna la table et s'approcha du Breton. Il était si calme et marchait si droit que l'autre douta.

« Non, il n'a rien... Que vais-je imaginer?... »

Le regard de Joffrey de Peyrac tombait sur lui, l'observait avec une pénétrante attention. De taille moyenne, Yann lui arrivait à l'épaule. Bien découplé, doué d'une expression vive et hardie, il paraissait toujours plus jeune que ses trente ans. Pourtant, sa vie mouvementée lui avait fait l'âme d'un vieux roulier forgée à tout. Mais, pour Joffrey de Peyrac, ce visage de Français celtique serait toujours sans secret. Il pouvait y lire comme en un livre ouvert.

— Et maintenant, Yann, murmura-t-il, dis-moi ce que tu n'oses me dire.

Le Breton pâlit et rompit d'un pas. Sa tête se reprit à ébaucher de vaines dénégations. Terrifié, il savait qu'il n'échapperait pas. Il avait déjà vu Joffrey de Peyrac à l'œuvre lorsqu'il poursuivait un but, lorsqu'il s'acharnait à découvrir une vérité que lui avait révélée sa diabolique divination : comme un chasseur, il ne lâchait pas la piste, acculant l'adversaire.

— Qu'as-tu? Qu'as-tu que tu ne peux me dire? Crois-tu que je ne vois pas ton regard troublé? Dis-moi, que s'est-il passé? C'était là-bas, à Maquoit, là où tu as laissé la comtesse?... Qu'as-tu vu, qu'as-tu surpris qui puisse te bouleverser à ce point?...

— Mais... Je ne... (Yann ébaucha un geste d'impuissance.) Je vous ai tout dit, monseigneur.

— C'était là-bas, n'est-ce pas? Réponds, c'était là-bas?

— Oui, fit la tête penchée du pauvre garçon.

Et il laissa tomber son visage dans ses deux mains.

— Qu'as-tu vu? Quand était-ce? Etait-ce avant de t'enfuir?...

— Non, fit la tête accablée.

— Alors, c'était après?... Tu t'enfuyais, m'as-tu dit... tu courais, et puis tu t'es retourné et tu as vu quelque chose... C'est bien cela, n'est-ce pas, quelque chose d'étrange, d'inconcevable?...

Ah! Comment pouvait-il deviner ainsi!... C'était diabolique

Yann défaillait.

— Qu'as-tu vu? répéta la voix implacable. Qu'as-tu vu quand tu t'es retourné vers la plage où tu l'avais laissée?... Qu'as-tu vu?

Et soudain Yann sentait s'abattre sur sa nuque comme une serre une main terrible, qui l'étreignait à la briser.

— Parle, fit la voix basse et menaçante.

Puis, s'apercevant que le jeune homme suffoquait, violacé, le comte relâcha son étreinte, se domina.

Une poignante douceur vibra dans sa voix persuasive.

— Parle, mon fils... je t'en prie!

Alors Yann s'écroula. Il tomba à genoux, s'accrochant au pourpoint de Joffrey de Peyrac avec des gestes d'aveugle égaré.

— Pardonnez-moi, monseigneur. Pardonnez-moi!

— Parle...

— Je courais... je courais... J'avais pris la fuite au moment où Barbe d'Or abordait le rivage... profitant de ce que tous les yeux étaient tournés vers lui... Mme la comtesse m'avait recommandé de saisir ce moment-là... Je courais, je courais... et puis, pour voir si l'on me poursuivait, je me suis retourné... vers la plage...

Il leva vers Peyrac un regard torturé.

— Elle était dans ses bras! monsieur, cria-t-il en se cramponnant au comte comme si ç'avait été lui-même qu'on frappait et qui recevait les pires coups. Elle était dans les bras de Barbe d'Or... et ils s'embrassaient... ah! pardonnez-moi, monseigneur, tuez-moi... ils s'embrassaient tous les deux comme des amants... comme des amants qui se retrouvent...

Les personnages de ce roman qui figuraient déja dans Angélique, marquise des Anges, *tomes I et II,* Angélique, le chemin de Versailles, *tomes I et II,* Angélique et le Roy, *tomes I et II,* Indomptable Angélique, *tomes I et II,* Angélique se révolte, *tomes I et II,* Angélique et son amour, *tomes I et II,* Angélique et le Nouveau Monde, *tomes I et II, se retrouveront dans* La tentation d'Angélique, *tome II,* Angélique et la Démone, *tomes I et II, et* Angélique et le complot des ombres, *tous parus ou à paraître aux Editions J'ai Lu.*

TABLE DES MATIÈRES

ROMANS-TEXTE INTÉGRAL

SCIENCE-FICTION
et FANTASTIQUE

Dans cette série, Jacques Sadoul
édite ou réédite les meilleurs auteurs du genre :

L'AVENTURE MYSTÉRIEUSE
du cosmos et des
civilisations disparues

ÉDITIONS J'AI LU

31, rue de Tournon, 75006-Paris

diffusion

France et étranger : Flammarion - Paris
Suisse : Office du Livre - Fribourg
Canada : Flammarion Ltée - Montréal

IMPRIMÉ EN FRANCE PAR BRODARD ET TAUPIN
7, bd Romain-Rolland - Montrouge.
Usine de La Flèche, le 18-02-1977.
1598-5 - Dépôt légal 1er trimestre 1977.